MASA

O PORACHUNKACH POLSKIEJ MAFII

POLECAMY:

POLSKI ŚWIADEK KORONNY NUMER JEDEN
PRZERYWA MILCZENIE!
MASA
O KOBIETACH POLSKIEJ MAFII
JAROSŁAW SOKOŁOWSKI „MASA"
W ROZMOWIE Z ARTUREM GÓRSKIM
Prószyński i S-ka

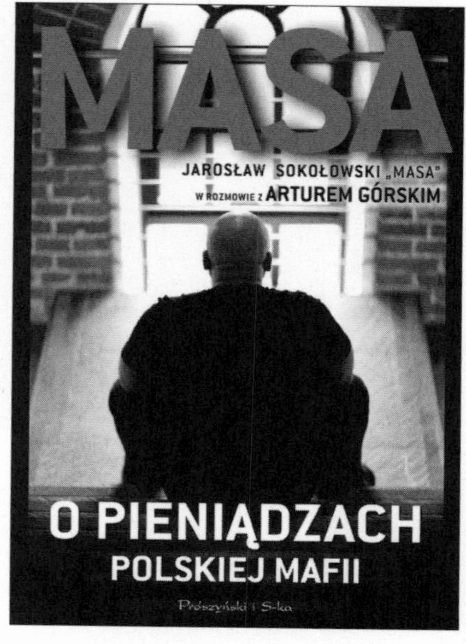

MASA
JAROSŁAW SOKOŁOWSKI „MASA"
W ROZMOWIE Z ARTUREM GÓRSKIM
O PIENIĄDZACH
POLSKIEJ MAFII
Prószyński i S-ka

JAROSŁAW SOKOŁOWSKI „MASA”
W ROZMOWIE Z ARTUREM GÓRSKIM

MASA

O PORACHUNKACH POLSKIEJ MAFII

Prószyński i S-ka

Projekt okładki
Prószyński Media

Zdjęcia na okładce
Agnieszka K. Jurek

Zdjęć w książce nie traktujemy jako ilustracji do konkretnych rozdziałów,
ale jedynie jako uzupełniający materiał reporterski.
Dlatego też nie zostały podpisane.

Redaktor prowadzący
Michał Nalewski

Redakcja
Ewa Charitonow

Korekta
Grażyna Nawrocka

Łamanie
Alicja Rudnik

ISBN 978-83-7961-214-7

Warszawa 2015

Wydawca
Prószyński Media Sp. z o.o.
02-697 Warszawa, ul. Rzymowskiego 28
www.proszynski.pl

Druk i oprawa
DRUKARNIA TINTA
13-200 Działdowo, ul. Żwirki i Wigury 22
www.drukarniatinta.pl

OD NARRATORA

Jarosław Sokołowski „Masa"

Myślicie może, że od najmłodszych lat marzyłem, żeby zostać gangsterem i krzywdzić ludzi? Nonsens. Nikt nie rodzi się zły. To okoliczności wydobywają na światło dzienne określone cechy i „podnoszą ich jakość".

Nie chcę rozczulać Was opowieścią o trudnym dzieciństwie, braku zainteresowania ze strony rodziców, biedzie. Tak jak ja żyło wówczas wielu Polaków, więc ten rozdział mojej historii nie jest szczególnie poruszający.

Z jakichś powodów znalazłem się jednak na ulicy, gdzie zacząłem poszukiwania miejsca w życiu na własną rękę. Cóż, wskutek warunków, w jakich żyłem. Być może, gdybym dorastał otoczony rodzicielską miłością, nie byłbym dzisiaj Masą, ale inżynierem, politykiem albo księdzem. Tylko czy wtedy zechcielibyście przeczytać moje wspomnienia? Jestem pewien, że nie. Dlatego cieszcie się, że żyłem, jak żyłem, bo dzięki serii „Masa o polskiej mafii" dostaliście szansę na przeniesienie się do świata, którego w inny sposób nawet byście nie posmakowali.

Owszem, są i tacy, którzy mają związane ze mną niezbyt przyjemne wspomnienia, ale to już inna sprawa. Zresztą niech się nad sobą nie rozczulają, bo to dzięki mnie wielu z nich trafiło na karty książek. Jak jest się troglodytą, który umie wyłącznie walić w mordę – choć nie na tyle dobrze, żeby mnie pokonać – naprawdę trudno liczyć na miejsce w historii i w literaturze. A jednak.

Z kryminalnym podziemiem Pruszkowa zetknąłem się już jako nastolatek i na dodatek dość szybko zaskarbiłem sobie jego uznanie. Byłem młody, silny i gotowy na wszystko. A poza tym na tyle głupi, że nie odmawiałem udziału w ryzykownych akcjach. Wprawdzie długo musiałem czekać na uznanie za swojaka, ale chyba szybko zorientowano się, że będą ze mnie ludzie. Uściślając: ludzie z miasta.

Od początku lat 90. funkcjonowałem wśród pruszkowskich jako liczący się gangster, szybko pnący się po szczeblach kariery. Ale żeby iść w górę, nieustannie musiałem udowadniać swoją przydatność dla grupy – najpierw jako ochroniarz Wojciecha K. „Kiełbasy", później jako szef własnych podgrup. Zdobywałem nowych kompanów (w mafijnym kontekście trudno przechodzi mi przez gardło słowo „przyjaciel"...), ale także zastępy wrogów. Niestety, również w rodzinie, czyli w Pruszkowie.

Niniejszy tom serii poświęcony jest porachunkom. I szczerze mówiąc – jeżeli jesteście żądni prawdy o mafii, znajdziecie ją przede wszystkim w tej części. Pierwsza, o kobietach, wielkie wydarzenie (tak medialne, jak handlowe), traktowała o nieco marginalnej (choć istotnej) gangsterskiej działalności. Kolejna, o pieniądzach, była już bliższa istocie rzeczy. W końcu zależało nam głównie na nieustannym zarabianiu kasy...

Ale mafia bez porachunków to nie mafia.

Żaden z naszych ludzi nie znał takich pojęć, jak: negocjacje, umarzanie, wybaczanie. To, co miało być dane, dane być musiało.

I to w określonym terminie. Co do sekundy. Wszelkie spóźnienia skutkowały dotkliwymi karami, a próby wyprowadzenia nas w pole kończyły się wycieczką do lasu. Z takiej podróży niejeden nie wracał nigdy…

Dlatego uważam za zrządzenie opatrzności fakt, że pomimo „licencji na zabijanie", jaką każdy z nas przyznawał sobie bez jakichkolwiek skrupułów, nigdy nie odebrałem nikomu życia. Nie zrobiłem tego, choć wiem, że wówczas byłem do tego zdolny. Jeśli wejdziesz między wrony… Znacie to przysłowie?

Po lekturze niniejszej książki uświadomicie sobie, jak wielką sztuką było uszanowanie piątego przykazania. Bo w drugiej połowie lat 90. zabijanie stało się czymś tak powszechnym, tak normalnym i akceptowanym (oczywiście w zorganizowanej strukturze przestępczej), że nikt nie przejmował się śmiercią drugiego człowieka.

Ba, zleceniodawcy całkiem chętnie organizowali stypy na cześć odpalonych wrogów, wznosząc toasty za… ich zdrowie na tamtym świecie. Upijali się ze szczęścia.

To był bardzo zły świat, ale nie widzę powodów, aby nie ujawniać mechanizmów jego funkcjonowania. Tego, jakimi kierował się zasadami i dlaczego w ogóle (i przez kogo) został powołany do życia. Bo to jednak część polskiej historii najnowszej.

Często słyszę zarzut: Masa robi z siebie celebrytę, a to przecież zwykły bandyta, który żyje na koszt państwa. Czyli nas wszystkich.

Nudzi mnie już trochę odpieranie tych ataków, ale przypomnę raz jeszcze, że przeznaczone dla mnie środki z budżetu naprawdę nie są wielkie (patrz „taryfikator" świadka koronnego), a w kontekście pracy, jaką wykonałem na rzecz walki z mafią – uzasadnione.

Życie świadka koronnego to nie wakacje. Każdego dnia stawiam sobie pytanie: a co, jeśli mnie w końcu dopadną?

Kto?, zapytacie. Ano ci, którzy boją się mojej wiedzy. Ci, którzy woleliby, abym przestał mówić raz na zawsze. Trochę ich jeszcze zostało…

Poza tym, proszę mi wierzyć, że miałbym z czego żyć i bez państwowego wsparcia. Pod koniec mojej działalności w Pruszkowie zajmowała mnie głównie legalizacja moich interesów. Nie ukrywałem tego, że gangsterka mocno mnie uwiera i że zamierzam przejść do normalnego biznesu. Zgromadziłem wystarczająco dużo pieniędzy, żeby rozkręcić kolejne przedsięwzięcia. Takie same plany miał zresztą Pershing; to, że nie wyszło, to już zupełnie inna sprawa.

Zamiast stać się prezesem w firmie, podjąłem się wyzwania, jakim jest misja świadka koronnego.

Co jakiś czas pojawia się jeszcze inny zarzut: Masa wcale nie żałuje za grzechy, tylko chełpi się przeszłością. Pewnie z radością powróciłby w szeregi mafii. Odpowiadam: jeżeli z moich opowieści przebija buta, znaczy, że dobrze wykonaliśmy z Arturem robotę. Bo nasza seria to nie historia rozterek skruszonego gangstera, ale narracja, relacja z czasów jego największej świetności. Tylko napisana w ten sposób ma walor wiarygodności. Gdybym klęczał na grochu i bił się biczem po plecach, wypłakując: „Jestem niewinny, winni są oni”, nasz mafijny cykl byłby wart niewiele.

Przyznaję: byłem winny. Snując wspomnienia, sprawiam, że Czytelnik ma przed oczami tamtego Masę, z jego sposobem myślenia i postrzegania świata. Wtedy Masa faktycznie powraca. Gdy jednak kończycie lekturę – znika…

OD AUTORA

Artur Górski

Oto najbardziej brutalna książka z serii „Masa o polskiej mafii".

Prawda o gangsterskich porachunkach często przerasta wyobraźnię scenarzystów i pisarzy, próbujących oddać realia panujące w przestępczym świecie.

Niby wszyscy wiemy, że zasady, jakimi kierują się gangsterzy, w niczym nie przypominają reguł obowiązujących wśród „normalsów". Że są bardzo dalekie od dyplomacji. Niemniej jednak często nam się wydaje, że okrucieństwo to ostateczność, również w środowisku przestępczym, gdy zawodzą inne możliwości zblatowania problemu. Bo przecież o n i to tacy sami ludzie jak my. Tyle że na pewnym etapie życia pogubili się i wkroczyli na drogę bezprawia...

Wychodząc z takiego założenia, łatwo o wniosek, że świat bandytów przypomina ten nasz. Co najwyżej inaczej, bo niezgodnie z prawem, zarabia się w nim pieniądze. Poza tym reszta jest mniej więcej taka sama.

W tym przekonaniu utwierdza nas medialny stereotyp, że tak naprawdę gangsterzy marzą o sprawiedliwości, uczciwości i lojalności. I na tyle, na ile pozwala im literacko-filmowa fikcja, zachowują się przyzwoicie.

Rzecz w tym, że świat bezprawia nie polega wyłącznie na odrzuceniu norm. To także – a może przede wszystkim? – przekonanie, że członek konkurencyjnej grupy przestępczej nie jest człowiekiem. To śmieć, który należy sprzątnąć, zanim on sprzątnie nas. Gangsterzy postrzegają podobnie również resztę społeczeństwa – przeszkadzamy im w interesach, nastajemy na ich bezpieczeństwo, zatem nasze miejsce jest w lesie, dwa metry pod ziemią… W sytuacji konfliktowej powstaje pytanie: kto kogo? Kto zabije pierwszy?

Ten, kto wchodzi w mafijny układ, szybko przyswaja zasady. Nawet jeżeli na początku nie darzył obcego nienawiścią (bo i za co?), z czasem przedzierzga się w myśliwego i zaczyna go tropić. Atmosfera wojny, w której trup pada gęsto, a każdy może w dowolnej chwili rozstać się z życiem, tylko podkręca nienawiść. Nawet ten, który wcześniej nie wyobrażał sobie, że może zabić, teraz wyrywa się do akcji, by wyeliminować przeciwnika. Żeby pokazać grupie swoją wartość i udowodnić sobie, że to w sumie nic takiego – wystarczy pociągnąć za spust. Nieboszczyk ląduje w rzece i nie ma mowy, że ktoś odnajdzie ciało…

Zabijanie staje się rutyną, wręcz nałogiem.

Jeżeli ktoś uważa, że mafijni zabójcy przeżywają rozterki moralne, jest w błędzie. Historia grupy pruszkowskiej zna egzekutorów, którzy bawili się doskonale, relacjonując swoje ponure uczynki. Bo przecież ostatnie chwile przerażonego delikwenta są takie komiczne! Zwłaszcza błaganie na kolanach o darowanie życia…

Oczywiście, gangsterskie porachunki to nie tylko zabijanie. To także wywożenie do lasu, wielogodzinne, a nawet kilkudniowe, wymyślne tortury i grożenie śmiercią, która, dzięki Bogu, nie zawsze nadchodzi.

Do miejskiej legendy Pruszkowa weszło wiele miejsc, w których mafiosi oprawiali niesolidnych dłużników bądź żołnierzy konkurencyjnych grup przestępczych. Złą sławą cieszyło się zwłaszcza jedno z nich; to podwarszawski Suchy Las, do którego zawożono klientów, by katować ich ze szczególnym upodobaniem. Wystarczała sama nazwa, by ofiary wpadały w panikę. I słusznie, bo wśród drzew było już tylko cierpienie...

W książce znalazł się opis niejednej takiej historii.

Ktoś, kto trafiał do lasu, porzucał wszelkie nadzieje. Na nic zdawały się umizgi wobec oprawców. Najpierw musiał być łomot, bezwzględnie, dla zasady, a negocjacje ewentualnie później. Nic dziwnego, że kontrahenci starali się spłacać należności w terminie.

Na początku lat 90. bicie było karą podstawową, jednak w połowie dekady, gdy nastała brutalizacja mafijnego życia, posypały się głowy. Na dokładne szacunki nie ma szans – ciała po dziś dzień skrywają leśne ostępy.

W historii porachunków polskiej mafii miało miejsce kilka zdarzeń, które urosły do rangi symboli burzliwych lat 90., jak choćby śmierć słynnego bossa Andrzeja K. „Pershinga" czy Wojciecha K. „Kiełbasy". Zostały opisane w poprzednich tomach serii. Tom trzeci opowiada o innych głośnych zabójstwach, których ofiarą padli między innymi Nikodem S. „Nikoś", Wiesław N. „Wariat" – główni wrogowie grupy pruszkowskiej – oraz inni. Ponadto znalazła się w nim zaskakująca wersja Masy dotycząca wydarzeń z 1999 roku w warszawskiej restauracji Gama, gdy od kul zamachowców zginęło pięciu członków grupy wołomińskiej.

Przedstawiliśmy tu również wiele mało znanych tragicznych wydarzeń, które doskonale ilustrują, jak wyglądały porachunki w świecie polskiej przestępczości zorganizowanej. Jeden ginął, bo zawinił, drugi rozstawał się z życiem tylko dlatego, że przyjaźnił się z winowajcą…

Należy mieć nadzieję, że ten ponury czas minął bezpowrotnie. Że być może organy ścigania powrócą jeszcze do wielu odłożonych na półkę spraw i postawią zarzuty zabójcom oraz zleceniodawcom.

Na koniec pragnę podziękować Czytelnikom, dzięki którym otrzymaliśmy najważniejszą nagrodę rynku wydawniczego, czyli Bestseller Empiku. Na pięć nominowanych książek aż dwie były autorstwa mojego i Masy. Zwyciężył tom *Masa o kobietach polskiej mafii*, pozostawiając w tyle naprawdę ważne i popularne tytuły. To bardzo szczególna nagroda, bo nie jest wypadkową gustów czy sympatii wąskiego gremium jurorów. Głosują Czytelnicy za pomocą… portfeli. W kategorii „Literatura Faktu" żadna pozycja nie sprzedała się lepiej!

Zatem dziękujemy i liczymy na więcej.

Prolog

Za zdradę kompanów…

Mężczyzna wszedł bez pukania – zrzucono mu klucz przez okno, żeby sam sobie otworzył drzwi. Dziewczyna nie spodziewała się, że twarz gościa będzie ostatnią, jaką ujrzy w swoim niedługim, dwudziestojednoletnim życiu. Gdy zobaczyła wycelowaną lufę pistoletu, leżała na łóżku. Próbowała sięgnąć po telefon, ale nie miała szans.

Nic nie wskazywało na to, że pozornie przyjacielska wizyta będzie tak naprawdę egzekucją. Jacek N. był dobrym znajomym chłopaka ofiary, Piotra. Znany w środowiskach przestępczych pod pseudonimem Kato, odbył długą drogę, aby wysłać w zaświaty piękną blondynkę. Monika Hanssen mieszkała razem ze swym ukochanym w szwedzkim Malmö; Kato przybywał z Polski. Nawiasem mówiąc, to nie dziewczyna o perłowych włosach stanowiła główny cel – zadaniem Kato było zgładzenie kolegi. Oczywiście, jej los, jako świadka egzekucji Piotra R., został przesądzony na etapie planowania wyprawy, ale gdyby tamtego dnia nie było jej w domu, sprawy potoczyłyby się inaczej. Na ironię losu zakrawa fakt, że potencjalny obiekt zamachu przeżył i do dzisiaj zmaga się z traumą tamtego zdarzenia.

Tę historię opowiedział mi gangster związany z grupą pruszkowską, zastrzegając sobie anonimowość. Jego zdaniem Kato, który trafił z dożywotnim wyrokiem do więzienia, odpowiada nie tylko za tę zbrodnię. Jego mocodawcy zaś pozostają na wolności.

Sprawę tragicznej śmierci Moniki opisywały media. W pierwszym numerze magazynu „Śledczy" Ewa Ornacka opublikowała artykuł zatytułowany „Świat kobiet mafii nie przypomina Hollywood". Przytoczyła w nim słowa Piotra R., z którym spotkała się w nowogardzkim zakładzie karnym (odsiadywał wyrok za udział w grupie przestępczej Marka M. „Oczki"). „Do końca życia będę żył ze świadomością, że ta piękna, dobra jak anioł dziewczyna zginęła przeze mnie", wyznał. „Jej rodzina nigdy mi tego nie wybaczy".

Monika mieszkała w Szwecji od lat. Była piękna. Jak pisze Ornacka, w liceum podkochiwało się w niej kilku przystojnych kolegów. Dzięki jej urodzie zainteresowały się nią agencje modelingu i dziewczyna wkrótce pojawiła się na okładkach magazynów z modą. Jednocześnie była bardzo ambitna – zamierzała ukończyć studia prawnicze i realizować się w swoim hobby, fotografii podróżniczej. Stanowiła tak zwaną doskonałą partię, mogła zatem przebierać wśród najatrakcyjniejszych mężczyzn, lecz zapałała miłością do trzydziestosiedmioletniego gangstera. Początkowo najprawdopodobniej nie miała pojęcia, czym tak naprawdę zajmuje się Piotr, a potem wypierała ze świadomości coraz czarniejsze przypuszczenia. Przebywał w Szwecji „na wystawce", czyli ukrywał się przed policją, która akurat przeprowadzała masowe aresztowania w zachodniopomorskim środowisku przestępczym. Swoje interesy (napady na tiry, handel narkotykami) prowadził na skalę europejską, między innymi w Niemczech i Holandii. Do Skandynawii pojechał po wolność, a spotkał miłość, która wywróciła do góry nogami jego system wartości (według innej wersji poznał Monikę w Szczecinie). Przez głowę przemknęła mu nawet – naiwna, jak się miało okazać – idea porzucenia dawnych kompanów i przejścia na jasną stronę mocy. I być może dopiąłby swego, gdyby 22 lipca 1999 roku do drzwi jego dziewczyny nie zapukał Kato. Podobno powiedział jedynie: „No!", i zaczął strzelać.

Pierwsza kula trafiła Piotra; padł na ziemię, ale przeżył, udając martwego. Kątem oka widział, jak jego kompan zabija Monikę. Nie próbował jej ratować, zresztą nie był w stanie – sądził zapewne, że sam odpływa do krainy wiecznych łowów. Jednak gdy zabójca zmieniał magazynek, wykrzesał z siebie resztkę sił, zerwał się z podłogi i wybiegł z mieszkania.

Poczucie zagrożenia nie opuściło Piotra R. nawet w więzieniu. Nieustannie docierały do niego sygnały, że ludzie związani z kryminalnym podziemiem Szczecina dybią na jego głowę. W rozmowie z prasą wyznał nawet, że dostał ostrzeżenie: ktoś będzie próbował doprawić jego posiłek trucizną. Trudno powiedzieć, na ile owa psychoza strachu miała pokrycie w rzeczywistości, a na ile była efektem gigantycznego stresu. Jedno jest pewne: R. wciąż żyje. Na szczęście!

Dlaczego Kato przybył aż z Polski, by go zabić? Przecież byli kolegami z jednej grupy przestępczej. Otóż właśnie dlatego. Podczas gdy policja aresztowała gangsterów, on bujał po Europie, zatem padło na niego podejrzenie, że być może wystawił kompanów.

Zajmijmy się przez chwilę osobą egzekutora – Jacka N., pseudonim Kato. Jak głosi plotka, za spartaczenie roboty w Malmö mafia wydała na niego wyrok śmierci. Ponoć już nawet wygłuszono i oklejono folią pomieszczenie, w którym miało dojść do egzekucji, więc aresztowanie zwyczajnie uratowało mu życie. Czy szwedzkie zlecenie było jedynym zabójstwem, jakie popełnił? Wiele wskazuje, że nie.

Mój informator twierdzi, że po szczeblach gangsterskiej kariery Kato wspinał się jako członek różnych grup. „Najpierw latał u Sławka Krakowiaka, potem u Sznyta, przez jakiś czas kręcił się po Pruszkowie, aż w końcu zaczepił się na dłużej w szczecińskiej grupie Oczki. Zawsze cechowała go brutalność i skłonność do radykalnych rozwiązań. Bądźmy szczerzy, to był zwykły zwyrodnialec, bestia gotowa na wszystko. Ofiarom lubił obcinać ręce samurajskim mieczem. Jego szefowie szybko się zorientowali, że jest człowiekiem w gruncie rzeczy bez sumienia i można go wykorzystywać do mokrej roboty".

W 1993 roku stołeczne środowisko przestępcze zelektryzowała wiadomość: Janek z Otwocka, gangster zwany potocznie Żydem, chce odpalić Pershinga. Panowie się pokłócili i teraz Żyd szuka kilera na ożarowskiego bossa. Nie bardzo się orientowano, o co poszło, powszechnie wiadomo było natomiast, że z Żydem mało kto jest w stanie się dogadać. Nikt go nie lubił, a wielu zapłaciłoby spore pieniądze, żeby definitywnie zatkać mu twarz. Tyle że tym razem to on miał ochotę kogoś uciszyć. I to personę z samego szczytu świecznika.

Andrzej K. „Pershing" początkowo nic nie robił sobie z zagrożenia, tym bardziej że pozostawało raczej w sferze plotek niż faktów, ale z czasem spuścił z tonu. Zaczął obawiać się o życie. I wtedy, jak twierdzi mój rozmówca: „Wpadł na szatański plan. Plan, który kompletnie do niego nie pasował, bo jednak Pershing nie był człowiekiem gwałtownym i niechętnie wydawał wyroki śmierci. Z jakichś tam względów nie chciał zabijać Janka Żyda, ale postanowił wylać mu na głowę kubeł zimnej wody. Tym kubłem miała być śmierć kierowcy i bliskiego współpracownika Żyda, Jacka Ż. Pershing wierzył, że po takiej lekcji otwocki gangster przestanie się pultać i wróci do szeregu. Wydano wyrok, a do jego wykonania wydelegowano Kato. Razem z nim na mokrą robotę pojechali inni gangsterzy. Ale to Kato miał zabić...".

Na Jacka Ż. czekano pod warszawską dyskoteką Trend. W środku było wielu gości, także wywodzących się z grupy pruszkowskiej (to, co wydarzy się za chwilę, widział Masa oraz kilku gangsterów z grupy Marka Cz. „Rympałka"). W pewnym momencie do Ż. podeszli: Andrzej Z. „Słowik", Paweł M. „Małolat", wspomniany Kato oraz dwóch innych miastowych. Zaczęła się rozmowa; Jacek Ż., zapewne nieświadomy zagrożenia, wdał się w gwałtowną pyskówkę. Jako że na miejscu było wielu świadków, pruszkowscy zaproponowali, aby kierowca Żyda poszedł z nimi do ich samochodu, gdzie mieli kontynuować rozmowę.

Ż. uznał, że to dobry pomysł, i wsiadł do auta. Po chwili towarzystwo odjechało w siną dal. Taką, z której kierowca Żyda nie powrócił już nigdy. Wprawdzie w kartotekach figuruje jako osoba zaginiona, ale raczej trudno się spodziewać, że gangsterzy wywieźli go w bezpieczne miejsce i tam pozostawili.

„Czy Kato zabił chłopaka? Teraz wszyscy zaangażowani w tę zbrodnię śmieją się z niego. Oni są na wolności, a on siedzi z dożywotnim wyrokiem. Wprawdzie za inną sprawę, ale więzienie to więzienie. Gdyby zdecydował się opowiedzieć o kulisach zabójstwa Jacka Ż., o zleceniodawcach i innych uczestnikach tamtego zdarzenia, mógłby posłać do chliwa kilka osób. A sam miałby podstawę do oczekiwania na złagodzenie kary. Wyjść z więzienia po dwudziestu pięciu latach a nie wyjść nigdy to jednak duża różnica", mówi były gangster.

Na razie Kato milczy i siedzi z drobnymi przestępcami, z którymi na wolności nawet nie raczyłby porozmawiać.

* * *

Za przywłaszczenie mafijnych pieniędzy

Zbliżał się wieczór, gdy w kieszeni Marka D. „Doriana" odezwał się telefon. Dzwonił Pershing. Nie pytał, czy jego kierowca ma czas.

– Zaraz masz być u mnie – rzucił. – Jedziemy na wycieczkę.

– Dokąd?

– A co cię to obchodzi? Moja sprawa. A jak na Hawaje, to odmówisz?

– Na Hawaje nie dojedziemy samochodem.

– Nie mądrz się. Ty wszędzie dojedziesz, jak ci każę.

Ton jednoznacznie wskazywał, że boss nie żartuje.

Dorian rozłączył się, wskoczył w mercedesa i mniej więcej pół godziny później parkował pod willą Andrzeja K. w Ożarowie. Ten już czekał pod domem. Wyraźnie mu się śpieszyło.

– Kurs na Lublin – powiedział, wsiadając. – Wiesz, jak tam jechać?

Dorian wzruszył ramionami.

– Szefie, do Lublina to ja mogę z zamkniętymi oczami – odparł.

Ruszyli.

Wystarczyły dwie godziny, by mercedes sunął lubelskim Krakowskim Przedmieściem. Zatrzymał się przed jednym z eleganckich hoteli, gdzie znajdowało się kasyno, do którego ciągnęli nie tylko lokalni biznesmeni, ale i bogaci przybysze zza Buga.

W tej jaskini hazardu krążyły wielkie pieniądze, które jednak rzadko kiedy lądowały w portfelach grających. Ale bez względu na to, kto i ile tracił, jednym z tych, którzy zarabiali zawsze, był Andrzej K. Jego pomysł na biznes w kasynie wydawał się dziecinnie prosty – miał w nim swoich ludzi, którzy pożyczali graczom (rzecz jasna pod stołem) pieniądze. Na wysoki procent.

Popyt był tak wielki, że współpracownicy lidera Pruszkowa ledwie nadążali z podażą – tracący wszystko, z czym przyszli, hazardziści dramatycznie potrzebowali zastrzyku gotówki. Nawet jeżeli dług miał w przyszłości wywołać lawinę ponurych konsekwencji. Nakręceni alkoholem, przerażeni, że właśnie stracili ostatnią złotówkę, biegali po sali, szukając facetów, którzy – jakimś cudem – zawsze mieli wypchane portfele. I chętnie pożyczali, nie tłumacząc szczegółowo, na czym polega deal. W tych niepisanych umowach nie było informacji małym drukiem, tylko siano z ręki do ręki i krótki przekaz: „Rozliczasz się w ciągu trzech dni".

Dla amatorów ruletki te trzy dni były jak wieczność. Po czym wcale nierzadko okazywało się, że na zebranie żądanej kwoty nie wystarczyłyby nawet trzy lata…

Nawalali jednak nie tylko dłużnicy, ale i ludzie Pershinga. Fakt, niezwykle rzadko, ale zdarzało się…

W takiej właśnie sprawie Andrzej K. przyjechał z Dorianem do Lublina.

– Frajer mi wisi hajs, a mówi, że nie ma – oznajmił podczas podróży. – Ciekawe, co on z tą forsą zrobił? Widzisz, Mareczku, mógłbym mu tę kasę odpuścić, bo nie chodzi o jakąś wielką sumę. Ale są, kurwa, zasady! On ma mi wyjaśnić, gdzie przepultał kasę, ukorzyć się i zadeklarować termin zwrotu!

Kasyno znajdowało się na parterze. Ochroniarze, którzy doskonale wiedzieli, kim są właśnie przybyli goście, rozstąpili się na boki i ukłonili grzecznie.

Pershing niemal natychmiast dostrzegł winowajcę. Facet siedział przy stoliku, smętnie pochylony nad szklanką whisky, sprawiając wrażenie człowieka przygotowanego na spotkanie z przeznaczeniem.

Zbliżyło się do niego na dystans wyciągniętej ręki.

– Nad czym się tak, chuju, zastanawiasz? – zapytał Pershing.

Mężczyzna podniósł głowę i wpatrywał się przez chwilę w bossa tępym wzrokiem.

– A w czym rzecz? – wybełkotał.

– Już ty dobrze wiesz, w czym, frajerze. Nie strugaj wariata, bo skończysz gorzej, niż zakładam w tej chwili.

Współpracownik Andrzeja K. milczał przez chwilę.

– Nie mam, szefie – wyznał grobowym głosem. – No nie mam...

– Gówno mnie to obchodzi. Możesz sobie nie mieć, ale oddać, kurwa, musisz.

– Nie mam. Przegrałem.

– Jak to: przegrałeś? Przecież ty nie jesteś od grania, tylko od pożyczania frajerom!

– Wiem. Ale pomyślałem sobie...

– I nie jesteś, kurwa, od myślenia!

– Ale pomyślałem, że pofarci mi się. Że pójdzie mi karta i nie będzie żadnego problemu. Teraz nie mam. Nie oddam.

W tej samej chwili Pershing nie wytrzymał – jego pięść wylądowała na twarzy nieszczęśnika, który spadł z krzesła i rozciągnął się jak długi na podłodze. Prawdopodobnie na tym skończyłaby się „fizyczna" część kary, gdyby mężczyźnie nie odbiło. Wbrew logice i instynktowi samozachowawczemu chwycił za krzesło i ruszył w stronę bossa. Próbował załatwić problem w najbardziej nierozsądny sposób, czyli pod wpływem impulsu zamiast chłodnej kalkulacji. Pershing uderzył po raz drugi, po czym krzyknął do Doriana:

– Dawaj pod drzwi!

Kierowca wybiegł na parking, włączył silnik i z piskiem kół podjechał na wstecznym pod główne wejście, uderzając w drzwi. Szkło posypało się na chodnik. Otworzył bagażnik i wbiegł do kasyna. Razem z Pershingiem wyciągnęli dłużnika na zewnątrz i bijąc go po głowie, zapakowali do kufra.

Dla nieszczęśnika rozpoczęła się najtrudniejsza podróż i najgorszy czas w życiu.

W środku nocy mercedes zajechał do jednej z mafijnych dziupli pod Warszawą, gdzie na żywą przesyłkę czekało trzech oprawców. Mieli wytłumaczyć opornemu, że z Pershingiem nie pogrywa się w taki sposób. Że pieniądze się oddaje i – przede wszystkim – nie podnosi się ręki na szefa. Mężczyznę katowano dzień i noc, w zasadzie bez żadnej przerwy. Zmieniały się ekipy dręczycieli, ale bicie nie ustawało. Nie było zabawy w dobrego i złego policjanta. Złym był każdy.

Trzy dni później Pershing zadzwonił do swojego szofera.

– Odwieź klienta do Lublina. Ma dość.

W dziupli, gdzie trzymano ofiarę, oczom Doriana ukazał się koszmarny widok. Jak wspominał po latach: „Myślałem, że rzucę pawia. Przede mną stała jakaś ociekająca krwią masa, która człowieka przypominała jedynie w niektórych fragmentach.

Głowa wyglądała tak, jakby przez kilka godzin trzymał ją w ulu pełnym wściekłych pszczół. To był napompowany balon. Bez oczu, bez ust".

– Po coś się, człowieku, stawiał? – zapytał skatowanego, gdy jechali w stronę Lublina.

Pytanie było retoryczne.

ROZDZIAŁ 1

Wigilia byłych gangsterów

Umawialiśmy się na wigilię, a wyszły nam Zaduszki.

Spotkanie zorganizował Masa. Zaprosił do restauracji kilku chłopaków ze swojej dawnej ekipy, a także tych, którzy byli blisko z Pershingiem. No i mnie. Mieliśmy porozmawiać między innymi o gangsterskich porachunkach. Termin pruszkowskiej wigilii został wybrany zupełnie przypadkowo, ale wkrótce zorientowaliśmy się, że spotykamy się dokładnie w piętnastą rocznicę śmierci Andrzeja K. „Pershinga". Siłą rzeczy szybko podjęliśmy temat śmierci słynnego bossa z Ożarowa.

O egzekucji, która miała miejsce w Zakopanem 5 grudnia 1999 roku, napisano wiele; także Masa i ja w poprzednich tomach serii omawialiśmy ją dość szczegółowo. Trzy strzały na parkingu na Polanie Szymoszkowej przeszły do gangsterskiej legendy, podobnie jak śmierć Diona O'Baniona, zastrzelonego w listopadzie 1924 roku przez kilerów Ala Capone'a.

Dlatego pozostawmy suche fakty na boku, a posłuchajmy refleksji dwóch uczestników spotkania: Masy i Marka D. „Doriana".

Rozleliśmy „opłatek" do szklanek, przełamaliśmy się i zakąsili ogórkami.

Oczywiście, ogórki nie były jedyną przekąską – na stole stało kilka kryształowych mis z kawiorem, ale jakoś swojski kiszony bardziej pasował do kontekstu.

Wspomnienia popłynęły wartkim strumieniem.

Dorian: Panowie, bądźmy szczerzy… Masa, zeznając na grupę pruszkowską, nie zrobił krzywdy nikomu z kręgu Pershinga. Starych, czyli Maliznę, Parasola czy Wańkę, fakt, mocno pogrążył, ale swoich oszczędził. Często mnie ludzie pytają, skąd to wiem…

Jarosław Sokołowski „Masa": Jak to – skąd wiesz? Bo nawet starzy przyznają, że oszczędzałem swoich. Co więcej, to, co spotkało Maliznę czy Parasola, to najmniejszy wymiar kary. Dobrze wiem, że dałoby się wyciągnąć na nich o wiele więcej i posłać za kratki do końca życia.

D.: Jak słyszę, że Masa kogoś udupił, to ja prostuję: nie udupił, tylko powiedział, jak było. Udupia się wtedy, jak się opowiada bajki na zamówienie. Tacy bajarze krążą po sądach, nie mam co do tego wątpliwości.

J.S.: Moja idea była taka – zadarliście ze mną, polowaliście na mnie, zagroziliście mojej rodzinie, to pies was jebał, musicie za to odpowiedzieć! Tego wam nie daruję, zasłużyliście na karę. Myślicie, że zapomniałem wam te dwa miliony papieru za moją głowę? Tego się nie zapomina. Inna sprawa, że ja się nie kryłem. Jakby znalazł się jakiś kozak, mógłby mnie bez problemu odpalić. Widocznie starzy nie mieli pod ręką kozaka.

D.: Ciągle mnie pytają: „Dorian, dlaczego Masa cię nie sprzedał? Przecież mógł cię utopić raz na zawsze". A co ja mam odpowiedzieć? Zapewniać, że nie jestem wielbłądem? Przekonywać, że nie popełniłem czynów, o jakie mnie niektórzy podejrzewają? Mam na to jedyne wyjaśnienie: Masa mnie nie sprzedał, bo mnie, kurwa, lubił. Wystarczy? Jak co poniektórzy się dowiedzieli, że niedawno odnowiłem kontakt z Jarkiem, to się ode mnie odwrócili. W pewnych kręgach jestem źle widziany. Ale ja kładę na to laskę. Sam wiem lepiej, kto stoi po właściwej stronie, a kto wciąż nie odróżnia dobrego od złego.

J.S.: Pamiętam takich, którzy przez lata deklarowali wobec mnie przyjaźń i oddanie, a zostawili, jak tylko zrobiło się wokół mnie gorąco. Niektórzy po dziś dzień sypią na mnie, szczególnie ci, którzy mają „koronę" albo „małą koronę" (art. 60 kodeksu karnego przewiduje nadzwyczajne złagodzenie kary dla przestępcy, który idzie na pełną współpracę z organami ścigania – przyp. A.G.).

D.: Tego, co było, wymazać się nie da. Można inaczej żyć, ale przeszłość zawsze będzie się do ciebie dobijać. Wiecie, cieszę się, że się wyprowadziłem z Warszawy. Teraz mieszkam w lesie. Jak mnie dopada chandra, biorę psy i idziemy na długi spacer między drzewa. Po godzinie psychika wraca do normy. Albo wskakuję do samochodu, włączam sobie jakąś starą rockową balladę, może być Led Zeppelin, może być coś polskiego, i jeżdżę bez celu. Pomaga.

J.S.: Ale pewnie nie na długo?

D.: Trudno, zawsze będę miał problem z przeszłością. Ale nie narzekam – to był mój wybór. Po śmierci Pershinga uświadomiłem sobie, że trzeba przewartościować całe życie. On był dla mnie jak ojciec – bo rodzonego nie miałem – i on wyznaczał, co jest właściwe, a co nie. Nie podejmowałem decyzji, tylko wykonywałem cudze. Było mi z tym wygodnie, ale na dłuższą metę nie dało tak się żyć. Zagrożenie było realne – Malizna szalał, czuł się mocny, bo wyeliminował największego wroga, czyli Pershinga. Mogłem spodziewać się najgorszego. Stanąłem przed wyborem: więzienie albo mafijny kiler. Ani jedno, ani drugie mi się nie uśmiechało.

J.S: Nie wiem, czy masz świadomość, ale byłeś jednym z głównych powodów wojny Pershinga ze starymi. Pamiętasz, jak ci wysadzili furę na Grochowie?

D.: Trudno nie pamiętać. Może nie byłem w grupie kimś ważnym, ale jednak blisko współpracowałem z Pershingiem. Co tu dużo gadać – byłem mu wierny jak pies. Kiedy robili zamach na mnie, pewnie mieli już plan odpalenia Andrzeja, ale może liczyli, że obejdzie się bez ostatecznego rozwiązania? Chcieli nastraszyć, pokazać, że są gotowi na wszystko. Ja nie od razu uwierzyłem, że to starzy zorganizowali. Przekonał mnie Pershing. Zadzwonił do mnie i mówi: „Wybierz sobie furę, jaka ci pasuje. Te skurwiele będą musiały powetować ci stratę. Już ja ich do tego zmuszę”. Ja na to: „Andrzej, skąd wiesz, że to oni?”. A on: „Bo, kurwa, wiem. Nie twoja broszka”.

W tym wypadku broszka była jak najbardziej moja, ale uznałem, że nie ma co dopytywać. Uwierzyłem.

J.S.: Może Pershing nie okazywał ci tego, ale traktował cię jak rodzinę. Uderzenie w ciebie było ciosem bezpośrednio w niego. Tyle że on nie był skłonny do tak drastycznych rozwiązań jak starzy. Obić, złupić, sponiewierać – to tak. Ale wysłać kilera, i to w jakimś sensie na kolegów, to jednak inna para kaloszy. Starzy tak naprawdę znienawidzili go, jak ja do niego doklepałem i zaczęliśmy wspólnie łoić dużą kasę.

D.: Bądźmy szczerzy, Pershing też dolał oliwy do ognia, przy czym miał absolutną rację. Konflikt między nami a Malizną narastał od lat. Mirek D. uważał się za pruszkowskiego pana i władcę, a Andrzej traktował go tak, jak ten zasłużył. Czyli jak zwykłego frajera z przerośniętym ego. I starał się go zrzucić z pomnika. Pewnego dnia Pershing zadzwonił do mnie znad morza, gdzie zresztą balował ze starymi, i mówi: „Dorian, bracie, rozjebałem go jak żabę. Dałem Maliźnie blachę w czoło przy wszystkich i teraz on już jest skończony. Od dziś nawet ty nie musisz go szanować". A ja: „Andrzej, przecież ja nic do Malizny nie mam". On wtedy: „Jak to, kurwa, nie masz, skoro ja mam?".

J.S.: Rzeczywiście. Po tamtym zdarzeniu z Malizny uleciało powietrze. Wszyscy zaczęli z niego pokpiwać; stracił szacunek nawet u swoich. Nie mógł puścić płazem takiej zniewagi, więc skończyło się tak, jak się skończyło. Mówiliśmy Pershingowi: „Uważaj na te stare rury, nie ufaj Słowikowi", ale Andrzej wciąż powtarzał: „Słowik to fajny gość". Dlatego nie rozumiem, jak Słowik może spokojnie patrzeć w oczy Dorianowi i udawać, że wszystko jest w porządku. Że to nie on stoi za śmiercią Andrzeja. Czytaliście jego książkę *Skarżyłem się grobowi*? Wybiela się, a po nas, czyli po chłopakach od Pershinga czy ode mnie, jeździ jak po łysej kobyle.

D.: To, że dojdzie do ostrej rozgrywki między Pershingiem a starymi, było dla mnie jasne już od dłuższego czasu. Na długo zanim Andrzej upokorzył Maliznę nad morzem. Bywałem świadkiem ich kłótni i często odchodziłem na bok, bo czułem zażenowanie; tak po sobie jechali, że aż głupio było słuchać. Andrzej chciał starych w chuj pogonić i pokazać młodym, że to banda frajerów i wyzyskiwaczy. Nikt mi nie powie, że taki Parasol czy Malizna uczciwie dzielili się zyskami z młodymi. Wszyscy na nich harowali, a oni z siebie, tak naprawdę, nie dawali nic. Tylko zgarniali hajs. Można więc powiedzieć, że Pershing zaczął krucjatę. Gdyby grzecznie im potakiwał, mógłby długo i szczęśliwie kręcić swoje lody. Ale miał zasady i uważał, że gangrenę trzeba tępić. Od czasu do czasu próbował pytać mnie o zdanie w tej kwestii, ale mu zawsze odpowiadałem: „Nie wiem, nie znam się. Ja mam kluczyki od samochodu, mogę cię zawieźć, gdzie chcesz. Ale do wojny mnie nie wciągaj".

J.S.: Trzeba też pamiętać, że pojawienie się Pershinga w grupie bardzo starym pasowało. Pod koniec lat 80. oni byli jedynie gromadą prymitywnych recydywistów, bez żadnego pomysłu na rozwinięcie skrzydeł. I przede wszystkim bez ramienia zbrojnego. A Andrzej zapewnił im i jedno, i drugie, robiąc z nich mafijnych bossów. Podejrzewam, że wcześniej nawet nie umieliby powiedzieć, co to takiego mafia. Może któryś z nich oglądał *Ojca chrzestnego*, lecz nawet jeśli, to na dużym kacu, między wódką a zakąską. Bez głębszej refleksji. Jak już nauczyli się tego i owego od Pershinga, postanowili

Fot. Adam Chelstowski/Forum

działać na własną rękę. Tak powstała cała masa pomniejszych grupek, które wprawdzie latały dla starych, ale z czasem zaczęły się wybijać na niezależność. Tym bardziej że Andrzej K. coraz częściej im powtarzał: „Okradają was. Dymają was bez mydła".

D.: Niektórzy starzy to ponoć kazali się młodym całować po rękach…

J.S.: Jakie ponoć, sam widziałem! Tacy to byli ojcowie chrzestni. Może gdyby obejrzeli w telewizji *Nad Niemnem*, historia potoczyłaby się inaczej. Gdyby siedział tu razem z nami Parasol, to już po kilku kolejkach wystawiałby łapy do cmokania!

D.: Pamiętam, jak Pershing zaproponował, żeby każdy z młodych dostał po kole papieru. Nieważne, kto czym się zajmował – po robocie każdy oddaje hajs do wspólnej kasy i wtedy wypłaca się coś w rodzaju pensji. Żeby każdy miał na czynsz, prąd i inne przyjemności. Starzy nie mogli tego zrozumieć. A już zupełnie nie kumali, o co chodzi, jak im powiedział: „Wy też musicie zabrać się do roboty". Tyle że na początku Pershing nie zdawał sobie sprawy, że goniąc ich do roboty, popełnia duże faux pas. Pamiętam, kiedyś była impreza w Polonii. Byli sami swoi, czyli grupa Pershinga, aż tu nagle pojawiają się starzy. Pytam szeptem Andrzeja: „Zapraszałeś ich?", a on do mnie: „Siadaj na dupie. To są bracia, mogą z nami balować". Braci sobie, kurwa, znalazł.

J.S.: Teraz bracia znów na wolności, a Pershing wącha kwiatki od spodu…

D.: Słowik czasem przychodzi na Legię. Kręci się przy lepszym towarzystwie, jakby chciał wykrzyczeć: „Ja już jestem innym człowiekiem, co złego to nie ja!". Za każdym razem, kiedy się z nim widzę – a nie ukrywam, że czasem na siebie wpadamy – czytam mu w oczach. A on w moich. On wie, że ja wiem i że mu nie daruję… Nic mu nie zrobię, to jasne, ale będę pamiętał. Rozmawiamy ze sobą, bo to naturalne, ale jest mur, którego żaden z nas nie ma ochoty przeskoczyć. Spotkałem go kiedyś na meczu siatkówki. Po drugim secie wyszedł z pewnym biznesmenem na parking. Rozmawiali w samochodzie tego drugiego przez kilkadziesiąt minut. Dlaczego w samochodzie? To stara gangsterska szkoła – jakby coś zaczęło się dziać, gaz do dechy i spadówa.

J.S.: No ale żadnego „łba" nie mogą mu udowodnić. Jest na tyle inteligentny, że pozacierał wszystkie ślady. I nie chodzi o Pershinga, bo w tym wypadku mowa o nakłanianiu do zabójstwa, a nie o samym zabójstwie, ale o wielu innych. Pamiętacie, jak latał ze Zbyszkiem Kajtkiem z Lublina? Nigdy nie kryli, co robią z ludźmi po lasach. Na początku byli zwykłymi kilerami.

D.: Pytanie, co to znaczy kiler w naszych realiach...

J.S.: No właśnie. Jak się człowiek naogląda amerykańskich filmów, to aż chciałby spróbować. Pamiętacie Clooneya w *Amerykaninie*? To film o płatnym zabójcy, który zamierza porzucić fach, ale musi jeszcze kogoś odpalić na do widzenia. Takim pięknym, wysztafirowanym i psychologicznie skomplikowanym, że pewnie laskom robi się mokro między nogami, jak go widzą. I myślą sobie: „Zabij mnie, George, ale najpierw przeleć!". Niestety, prawda o polskich zabójcach z tamtych czasów jest nieco inna. U nas nie było zawodowców, wyszkolonych przez jakieś służby specjalne, wynajmowanych za wielkie pieniądze do konkretnej mokrej roboty. To były zwykłe prymitywne chłopaki, które za wszelką cenę chciały doskoczyć do grupy, a nie wiedziały jak. I nie miały jakichś specjalnych uzdolnień, takich choćby, jakie są konieczne przy zawijaniu fur. Taki zdesperowany gość, pragnący zrobić wrażenie na ludziach z miasta, po prostu godził się jebnąć komuś w łeb. A ja uważam – choć może jestem niesprawiedliwy – że Słowik czy Kajtek to na początku była ta kategoria. Oczywiście, trzeba przyznać, że potem Andrzej Z. zrobił wielką karierę w polskiej mafii, ale początki były co najmniej wstydliwe. Później za to bali się go wszyscy.

D.: Opracował sobie nawet pewien trik. Jak siedział przy stole i zdjął okulary, wiadomo było, że chce komuś przypierdolić.

J.S.: Ale często za trikiem nie szła żadna akcja. Dlatego z czasem ludzie się przestali go bać. A on ściągał te swoje pingle i zakładał. Ściągał i zakładał.

D.: Cokolwiek by mówić, w stosowaniu rozmaitych socjotechnik był naprawdę dobry i pewnie dlatego zaszedł tak wysoko. Poza tym umiał trzymać nerwy na wodzy. Ja tak nie potrafię. Kiedyś kumpel powiedział mi: „Marek, ty to masz cholernie krótki lont". Chodziło mu o to, że natychmiast wybucham. A Słowik – trzeba mu przyznać – miał sznurek od snopowiązałki.

* * *

Wigilia skończyła się w nocy. Kelnerzy, wdzięczni, że biesiadnicy wreszcie zdecydowali się opuścić lokal, zapraszają na kolejny raz. Nie mają pojęcia, kim byli goście o imponujących posturach i czym zajmowali się w przeszłości. Ot, spotkanie podstarzałych facetów wspominających służbę wojskową. Albo wspólną pielgrzymkę do Częstochowy. Albo coś zgoła innego. W każdym razie wydarzenie, które zakończyło się lepiej niż wypad Pershinga do Zakopanego w towarzystwie pięknej młodej kobiety…

Może rzeczywiście już czas na pielgrzymkę? Ostatecznie jest z czego się spowiadać.

ROZDZIAŁ 2

Misiek to był twardy zawodnik

Kilka lat temu na łamach magazynu „Śledczy" ukazał się felieton zatytułowany „Rympałka bał się nawet zarząd Pruszkowa". Jednym z wątków poruszanych w nim przez Jarosława Sokołowskiego był udział grupy Marka Cz. „Rympałka" w egzekucji Wojciecha K. „Kiełbasy". Masa napisał wówczas: „Co gorsza, »zwąchał się« (Kiełbasa – przyp. A.G.) z niejakim Miśkiem z Nadarzyna – ten z kolei był w bliskich stosunkach z Wiesławem N., pseudo Wariat. Czyli z jednym z głównych wrogów Pruszkowa. W końcu Kiełbacha przestał być »swój«".

Autor felietonu nie miał wątpliwości, że Pruszkowowi nie podobała się przyjaźń, która połączyła Kiełbasę i Miśka – prawą rękę lidera gangu z Ząbek, czyli Wariata. A to właśnie owa zażyłość była jednym z powodów, dla których Wojciech K. został wysłany w zaświaty.

Po jakimś czasie otrzymałem list wysłany z zakładu karnego na południu Polski. Nadawcą okazał się Mirosław D., pseudonim Misiek, czyli jeden z bohaterów felietonu. „Zdecydowałem się do Pana napisać po przeczytaniu nr. 5 »Magazynu Śledczego«, gdyż w felietonie o Rympałku wspomniał Pan także o mnie, czyli

Miśku z Nadarzyna (to oczywiście skrót myślowy, bo wiadomo było, że wspomniany tekst napisał Masa; ja go jedynie opublikowałem – przyp. A.G.). Widzę, że nie boi się Pan pisania mocnych artykułów, tak więc myślę, że zainteresuje Pana moja historia. Nie będę tu opisywał Panu wszystkiego, ponieważ zabrakłoby kartek, ale temat jest na pewno bardzo interesujący".

Tutaj, niestety, muszę zakończyć cytowanie, ponieważ opisana sprawa, choć niezwykle interesująca i prawdopodobnie rozwojowa, nie dotyczy treści felietonu. Poza tym nie zostałem upoważniony przez pana Mirosława do upublicznienia zasadniczej części jego listu. Pozostańmy zatem przy stwierdzeniu, że artykuł wywołał zainteresowanie jednego z bohaterów, niewykluczone zatem, że za jakiś czas wysłucham tego, co Misiek ma do powiedzenia na temat grupy pruszkowskiej. Umówiliśmy się na spotkanie, ewentualnie dłuższą rozmowę telefoniczną.

Tymczasem nieco wspomnień Masy o Miśku.

J.S.: To był naprawdę twardy zawodnik. Szanuję go, choć nigdy nie zaliczał się do moich dobrych znajomych. On zresztą też nie ma powodów, żeby mnie miło wspominać. Nasze spotkania miały przeważnie miejsce w dość drastycznych okolicznościach.

Artur Górski: Czyli w tym przypadku nie sprawdziło się powiedzenie, że przyjaciele naszych przyjaciół są naszymi przyjaciółmi? Misiek pozostawał przecież w bliskich relacjach z twoim przyjacielem – Kiełbasą.

J.S.: Powiedziałbym wręcz, że niekiedy przyjaciele naszych przyjaciół bywają naszymi śmiertelnymi wrogami. A wszystko mogło potoczyć się zupełnie inaczej, bo w latach 80. Misiek kręcił się przy nas. I pewnie doklepałby do Pruszkowa, gdyby nie fakt, że miał straszliwą manię wielkości. Taki klasyczny samiec alfa. Uważał się za Bóg wie kogo, a starzy reagowali no to coraz bardziej alergicznie. Nie tylko zresztą starzy. Ja też nie lubię facetów, którzy nie znają swojego miejsca w szeregu. Jak ktoś nie ma potencjału na bossa, to niech siedzi cicho i robi swoje.

A.G.: Poznałeś go pod koniec lat 80. czy wcześniej?

J.S.: Na początku lat 80., tuż po stanie wojennym, kiedy jeszcze pruszkowiakom nie śniła się mafia. Na razie hartowaliśmy się na dyskotekowych bramkach. Ja na przykład, wraz z Andrzejem C. „Szarakiem" i Romanem Z. „Zacharem", pilnowałem wejścia do pruszkowskiego Duetu. Wszyscy w tej dyskotece się znali i stanowili silną paczkę; jak ktoś próbował nam podskoczyć, montowało się ekipę i dojeżdżało frajera. Tak naprawdę każdy przybytek rozrywki stanowił swoisty oddział partyzancki, którego członkowie znali się i funkcjonowali na zasadzie: jeden za wszystkich, wszyscy za jednego.

A.G.: Czy te oddziały stawały czasem przeciwko sobie?

J.S.: Mowa! Nieustannie, zwłaszcza gdy dochodziło do sporów pomiędzy miastami. Bardzo często robiliśmy wypady do sąsiednich miejscowości. Nie po to, żeby potańczyć, ale żeby skonfrontować się z siłami nieprzyjaciela. No dobrze, chodziło też o to, żeby popukać tamtejsze dyskotekówki, które przeważnie dość chętnie wchodziły z nami w intymne relacje. Ale głównie nastawieni byliśmy na walkę. Zresztą na wsiach nie było prawdziwych dyskotek, tylko prymitywne potańcówy w remizach, więc na godziwą i kulturalną rozrywkę nie liczyliśmy. Tyle że wieś sroce spod ogona nie wypadła – tam także zdarzali się skuteczni bramkarze i lokalne urki, gotowe do odparcia naszej agresji. Tak więc w Kaniach, Otrębusach czy w Milanówku często dochodziło do spięć kończących się rozlewem krwi. W ten sposób podporządkowywaliśmy sobie tę część Mazowsza, bo z reguły po większym wpierdolu miejscowi kacykowie przechodzili pod nasze skrzydła.

A.G.: A co ma z tym wspólnego Misiek?

J.S.: To, że na trasie naszych wypadów znajdował się również jego rodzinny Nadarzyn. Tamtejsza elita lubiła się bawić w Zajeździe Nadarzyńskim, imponującym wówczas lokalu gastronomicznym z końca lat 70. Pewnego razu pojechaliśmy tam na dyskotekę w sile kilku chłopaków z Pruszkowa. No i wszystko było niby w porządku, ale Misiek nam się nie spodobał, bo kozaczył. Ewidentnie miał ochotę na konfrontację. Doszło do niej już następnym razem – chłop dostał wtedy taki wpierdol, że normalny człowiek by nie przetrzymał. Kilku go trzymało, a dwóch pruszkowskich napieprzało, gdzie popadnie – po łbie, po nerach, po jajach. Twarz mu puchła z każdym kolejnym ciosem, ale on, jak powiedziałem na wstępie, to twardy zawodnik, kawał byka zresztą. Musieliśmy się zdrowo napracować, zanim uznał się za pokonanego. Pamiętam, że z wściekłości potłukł wtedy szyby w Zajeździe. Ale my mogliśmy spokojnie odjechać do siebie.

A.G.: I to koniec historii? Potem był już grzeczny i zachowywał się zgodnie z waszym kodeksem?

J.S.: Ależ skąd! To był dopiero początek. Jak Misiek doszedł do siebie, postanowił wyzwać nas na kolejną bitwę. Pewnego dnia w Zajeździe pojawiło się dwóch naszych: Belus i Kachel, i zostali mocno poobijani. Nie pojechali tam w celach agresywnych, chcieli jedynie zakosztować powabów nadarzyńskich piękności. Prowodyrem wpierdolu okazał się, oczywiście, Misiek, za którym stanęła jego banda, a dodatkowo trzech żołnierzy. Po wszystkim, w środku nocy, zadzwonił do mnie Belus i pożalił się na złe potraktowanie. Powiedziałem mu: „Nie ma sprawy, ubieram się i jedziemy. Masz jeszcze jakichś chłopaków?". A on mi na to, że jestem tylko ja i Szarak. „Popierdoliło cię? Przecież oni nas tam zabiją!", krzyknąłem, ale nie było wyjścia. Zapakowaliśmy się do jednej taksówki i ruszyliśmy na nieprzyjaciela. Byłem na takiej bombie, że nie przerażała mnie przewaga Miśka i jego ekipy. Chciałem się tłuc! Szarak też należał do zakapiorów, jak to się mówi: miał wariata w oczach. Nieco wcześniej wyzwał na pojedynek słynnego kick boksera Przemysława Saletę, ale gwiazdor ringu wydygał, czyli odmówił starcia. Było jasne, że Szarak w Nadarzynie nie odpuści. Kiedy wychodziliśmy z taksówki, kipiało w nas – nie była nam straszna żadna armia.

Skoczyło na mnie trzech żołnierzy i zaczęliśmy się łomotać; po chwili dwóch leżało w kałuży krwi, a trzeci uciekł. Dopadłem go w szczerym polu i zdrowo poturbowałem. Pojedynek wieczoru, czy raczej nocy, toczył się jednak między Szarakiem a Miśkiem. Walka była godna zawodowych ringów, przy czym wojownicy nie przejmowali się jakimikolwiek regułami. Powiedzmy, że to był taki podwarszawski full contact. Kiedy wróciłem, zobaczyłem, że

Szarak okłada leżącego na ziemi Miśka rzemiennym pejczem. Ta broń służyła mu zresztą do celów wychowawczych – traktował nią zwykle swojego syna, gdy ten mu się stawiał albo przynosił kiepskie oceny. Tym razem jednak postanowił wychować Mirosława D. Robił to tak zaciekle, że Miśkowi pękła nie tylko koszula, ale i skóra. Niestety, Mirek okazał się odporny na naukę...

A.G.: Wrócił do gry?

J.S.: Oczywiście, tyle że nie tamtej nocy, bo wtedy niewiele się różnił od trupa. Ale kilka tygodni później znów zaatakował chłopaków z Pruszkowa podczas dyskoteki. Postanowiliśmy zatem dać mu prawdziwą nauczkę, bo widocznie tę poprzednią potraktował jak zabawę. Pojechaliśmy do niego w składzie niewielkim, ale gwarantującym duże emocje: ja, Kiełbacha i Jacek D. „Dreszcz". Misiek został skatowany do nieprzytomności, a na koniec Dreszcz podarował mu jeszcze gratis od firmy – przeciął mu brzytwą skórę od karku po tyłek. To był popisowy numer Dreszcza, który przeważnie przecinał pośladki ofiar w poprzek. Po takim potraktowaniu jeden z drugim nieszczęśnik mógł jedynie leżeć na brzuchu, bo każdy ruch powodował otwarcie się rany. I tak przez co najmniej trzy miesiące. Dowiedziałem się potem od jakiejś pielęgniarki ze szpitala na Wrzesinie, że przy zszywaniu Miśka wykorzystano cały zapas klamer; tak długie i głębokie było cięcie. Rana w psychice pewnie jeszcze większa, bo Misiek uspokoił się na lata. Objawił się ponownie dopiero w latach 90.

A.G.: Rozumiem, że już w innej roli niż dyskotekowego watażki z Nadarzyna?

Fot. Piotr Liszkiewicz/East News

J.S.: Tak. Podobnie jak my wszedł w działalność czysto przestępczą, tyle że na dość skromną skalę. Zorganizował niewielką grupę złodziei samochodowych i zaczął rzeźbić w tej branży. Szybko zwąchał się z Wariatem, czyli Wieśkiem N. Mniej więcej od 1992 roku robili razem interesy. Tym samym Misiek wszedł na orbitę wpływów naszego wroga. Początkowo tolerowaliśmy to, ale z biegiem czasu stawaliśmy się na jego punkcie alergiczni, z czego nic sobie nie robił. Doszło nawet do tego, że ludzie Miśka zawinęli mojego lexusa. I to w samym centrum Pruszkowa. Wyobrażasz sobie taką zniewagę? Przyjeżdża jakiś leszcz w oko cyklonu i bierze moją własność! Po jakimś czasie dowiedziałem się, kto za tym stał, i poprzysiągłem Miśkowi okrutną zemstę. Rzecz w tym, że dojeżdżanie jego ludzi – nie mówiąc już o nim samym – nie szło nam dobrze, bo oni doskonale się ukrywali i zawsze byli o pół kroku przed nami. Mieli nas rozpracowanych. Sprytne chłopaki, przyznaję. Poza tym, mniej więcej w tym czasie, z Miśkiem zaprzyjaźnił się Kiełbacha. Ciągle się spotykali, więc było nam trochę niezręcznie go prześladować. Wojtek K. zabierał ze sobą do Miśka także innych naszych kompanów – Mietka Oławę czy otwockiego gangstera o pseudonimie Żyd, co dodatkowo komplikowało sprawę. Chcesz komuś spuścić wpierdol, jedziesz do niego, a tam balangują – a mówiąc dokładnie, wciągają kokę – twoi najlepsi kumple. Z Wariatem toczyła się wojna otwarta, ale Misiek co najwyżej dostawał lekkim rykoszetem. W sumie go oszczędzaliśmy.

A.G.: Trafienie rykoszetem też bywa bolesne…

J.S.: Dam ci przykład takiego rykoszetu, a ty sam oceń, czy bolał. Starzy, których zachowanie Miśka bardzo wkurwiało, po napadzie stulecia postanowili dać mu kolejną nauczkę.

A.G.: Przypomnijmy: napad stulecia, czyli kradzież pieniędzy przeznaczonych na wypłaty dla pracowników służby zdrowia. Zdarzenie miało miejsce w listopadzie 1995 roku na warszawskim Ursynowie. Łupem złodziei z grupy Marka Cz. „Rympałka” padło wówczas 1,2 miliona złotych.

J.S.: Dokładnie. Rympałek wpadł na pomysł, żeby obciążyć Miśka odpowiedzialnością za ten napad, przynajmniej w części. Dwóch funkcjonariuszy z komendy przy Opaczewskiej, którzy pracowali dla nas, podrzuciło mu pistolet, znaleziony i zabezpieczony na miejscu napadu. Dołożyli jeszcze jakiś fant, pochodzący z tego zdarzenia.

Zaraz potem nastąpił wjazd antyterrorystów do domu Mirka. Wiedzieliśmy oczywiście, że nic z tego nie będzie, bo przecież na podrzuconych przedmiotach nie było Miśkowych linii papilarnych, ale chodziło o to, żeby go trochę pognębić. Wyleciały drzwi, facet powędrował na podłogę, trochę go tam sponiewierano. Ale w końcu wyłgał się jakoś. I coś ci jeszcze powiem: zaraz po szturmie poszedł do garażu i przyniósł stamtąd nowe drzwi. Okazało się, że ma w zapasie kilka sztuk. Tak był przygotowany na okoliczność wjazdu ateków! Podobno wymieniał drzwi wejściowe całkiem często.

A.G.: Zapytam z czystej ciekawości: czy wspomniani policjanci z Opaczewskiej wciąż noszą mundury?

J.S.: Nie. Zostali zwolnieni dyscyplinarnie, a poza tym dostali zarzuty w sprawie Rympałka. O wszystkim bowiem poinformowałem Piotra W., policjanta, który mnie zwerbował do współpracy.

A.G.: A wracając do skradzionego lexusa…

J.S.: Natychmiast obstawiłem wszystkie granice, dałem cynk, komu trzeba, i w półświatku stało się jasne, że tego samochodu nie da się zhandlować. Ani w Polsce, ani za granicą – bo nie opuści terytorium kraju. Poszedłem do dyskoteki Trend i tam spotkałem Kiełbachę. W tamtym czasie nasze relacje mocno straciły na serdeczności, ale wciąż byliśmy kumplami i podawaliśmy sobie ręce. Wojtek od razu przeszedł do sedna. „Słuchaj, Jarek, twojego lexusa zawinęli ludzie Miśka, to fakt, ale on sam nic nie wiedział", mówi. „Jak zobaczył dokumenty samochodu, to mu szczęka opadła na podłogę, a potem zjebał swoich chłopaków jak bure suki. Nawyzywał ich od frajerów i pojebów, i kazał natychmiast zblatować sprawę".

Następnego dnia znów spotkałem się z Kiełbachą, który podjął się roli rozjemcy w sprawie. Wojtek oznajmił, że bryka jest do natychmiastowego odbioru, tyle że ma trochę uszkodzoną stacyjkę. „Oni ci wszystko naprawią, tyle że to kosztuje. Daj im tysiąc papierów, chłopaki pójdą na kolację i będzie po kłopocie", powiedział. Zgodziłem się, bo tysiąc papierów, używając metafory, miałem akurat w tylnej kieszeni spodni. Dodałem jednak: „Zapłacę, ale będę się mścił. Przekaż to Miśkowi. Bo to jest, kurwa, nie fair". Chłopcy zrezygnowali, oczywiście, z „honorarium" i wystawili lexusa w Nadarzynie przy boisku piłkarskim. Niestety, nie mogłem go odpalić, bo miał tę uszkodzoną stacyjkę. Czym prędzej zadzwoniłem do Miśka z żądaniem, żeby wysłał do mnie złodzieja, który uruchomi pojazd. „A nie wpierdolisz mu?", upewnił się. Gdy odparłem, że wszystko odbędzie się pokojowo, przysłał do mnie speca.

A.G.: Wkrótce zastrzelono Kiełbasę. Czy Misiek nadal trwał przy braciach N. z Ząbek?

J.S.: Otóż po śmierci Kiełbasy zrozumiał, że pętla nad Dziadem i Wariatem, a także ich sojusznikami, zaczyna się zaciskać. Powiedziałem mu nawet: „To, że nasi zaraz ich dopadną, jest oczywiste. Niby chodzą po tym świecie, ale już są trupami. Wystawią ich albo ich ludzie, albo psy, albo goście z telefonii komórkowej. Zastanów się, czy chcesz razem z nimi iść do piachu". Wtedy Mirek odciął się od Dziada i dołączył do nas. W ten sposób uratował skórę, a jednocześnie zarobił niezłe pieniądze.

ROZDZIAŁ 3

Olszynka dla bezwzględnych

Olszynka Grochowska na początku lat 90. była jedną z najpopularniejszych warszawskich dyskotek. Bawiła się tam nie tylko studencka młodzież, ale i kwiat rodzimego biznesu, nierzadko związanego z przestępczym podziemiem. W Olszynce, obok regularnych dyskotek, wpływowi goście urządzali imieniny czy urodziny, zaproszenie na które dawało przepustkę do lepszego świata. A przynajmniej bogatszego i bardziej ustosunkowanego. Zdarzało się również, że podczas bankietów dochodziło do spięć przeradzających się w regularne mordobicia.

Oczywiście pojawiali się tam także napakowani młodzieńcy, spragnieni mocnych wrażeń. Czyli grupa najbardziej znienawidzona przez ochroniarzy, niezwykle charakterystyczna dla Polski z czasów ustrojowego przełomu.

Pewnego dnia Olszynkę nawiedzili przedstawiciele młodego narybku Pruszkowa: Robert K. „Kwiatek" i Sławomir K. „Chińczyk".

Oto relacja tego drugiego.

– Był piątek, więc chcieliśmy się gdzieś zabawić. Wiesz, wóda, tańce, panienki i łomot. Takie typowe weekendowe plany. Wtedy Kwiatek rzucił pomysł: jedziemy do Olszynki. Niewiele się zastanawiając, ruszyliśmy do Warszawy i wczesnym wieczorem byliśmy już na dyskotece. Usiedliśmy i wychyliliśmy kilka drinków. A takich świrów jak my, na cyku, trzeba było wtedy ze świecą szukać. Nawiasem mówiąc, już w czasach szkolnych budziliśmy z Kwiatkiem postrach w Pruszkowie; omijali nas z daleka nawet znacznie starsi. Wiedzieli, że w starciu z nami nikt nie ma szans.

Ja się z biegiem lat ucywilizowałem, ale Kwiatek do ostatnich swoich dni (bo już nie żyje) z tego nie wyrósł. Nawet jak jakiś chłopak z grupy pruszkowskiej miał wesele, nigdy nie zapraszał Roberta, bo wiadomo było, że ten narobi wiochy. Mnie zapraszali, a jego nie.

Na samym początku lat 90. starzy, którzy akurat wyszli z puszki: Parasol, Lulas, Barabas, urządzili huczną imprezę w jednej z pruszkowskich restauracji. I nieopatrznie zaprosili Kwiatka. Kelner podał mu zupę, której gość nie zdążył zjeść, bo mu ją zawinął zgłodniały Lulas. Akurat ten ostatni Kwiatka nie znał, więc nie spodziewał się gwałtownej reakcji. Tymczasem Robert chwycił go za szyję i wściekły zapytał: „Dlaczego zżarłeś, kurwo, moją zupę?", i już się bierze do łomotu. Na szczęście sytuację załagodził Parasol, no ale stało się jasne, że z Kwiatkiem nie ma żartów i lepiej go na takie przyjęcia nie zapraszać. W pewnych sytuacjach był jednak jak najbardziej przydatny, bo grał ostro i nie odpuszczał. Skoro stał pod kantorem Masy i Kiełbasy w Pruszkowie, razem z Alim czy Krzysiem, to znaczy, że ludzie musieli go szanować. Wiedzieli, że jakby co, można na nim polegać. A przecież wtedy to był szczaw koło dwudziestki.

Obaj w tamtych latach byliśmy ostrzy.

W Olszynce też pokazaliśmy, na co nas stać. Jak nam zaszumiało w głowie, od razu odjebała nam szajba. Postanowiliśmy nauczyć tłuszczę, jak się tańczy w Pruszkowie. Weszliśmy na parkiet i zaczęliśmy napierdalać wszystko, co się ruszało. Było nas tylko dwóch, ale wywołaliśmy panikę; nie było mocnego, który by nas powstrzymał. Faceci brali po ryju, a ich partnerki łapaliśmy za tyłki. A jak się stawiały, dostawały z liścia. To było zabawne – tylu chłopa, a wszyscy uciekali jak myszy przed kotem.

Powiem ci, to była Polska w pigułce. To była odpowiedź na pytanie, dlaczego tak łatwo mafia zdominowała cały kraj. Nikt nie potrafił się postawić, wszyscy srali w gacie. I tylko marzyli, żebyśmy już dali im spokój. A honor? A jebać honor.

Tamtego wieczoru każdy dostał w michę; jak ktoś spierdalał na lewo, to na niego czekał Kwiatek. Jak ktoś ewakuował się na prawo, tam stałem ja. Było sprawiedliwie.

Nawet nie oszczędziliśmy disc jockeya – podszedłem do konsolety i jebnąłem go nogą w łeb tak mocno, że wyleciał prosto na parkiet. Jak w jakiejś taniej komedii. Podniósł się z podłogi i dał w długą.

Oczywiście, w dyskotece byli ochroniarze, ale szybko się zorientowali, kto tu rządzi, i uznali, że my zaraz zaprowadzimy porządek. Siedzieli cicho i robili w majtki.

Jak już się wyszumieliśmy, wróciliśmy do Pruszkowa.

Następnego dnia zadzwonił Masa z pretensjami – właściciel Olszynki, z którym był w dobrych relacjach, opowiedział mu o poprzednim wieczorze i przedstawił listę strat.

Spotkaliśmy się z Jarkiem i Kiełbasą. Byliśmy przekonani, że czeka nas gwałtowna reprymenda, a tymczasem dostaliśmy polecenie zrobienia kolejnej rozpierduchy w Olszynce.

– Ale o co chodzi? – zapytałem.

– O to, że musimy przejąć bramkę – odparł Masa. – Jak sponiewieracie klientów jeszcze raz, to wtedy szefowie Olszynki będą musieli zapewnić lokalowi lepszą ochronę. Na przykład pruszkowską. Zapłacą nam hajs i będą mieli święty spokój.

Tego samego dnia pojechaliśmy na dyskotekę i zrobiliśmy jeszcze większy dym. Tym razem jednak wykonywaliśmy polecenie służbowe, więc musieliśmy się przyłożyć.

Oj, przyłożyliśmy się. Aż do krwi... Pamiętam taką scenę: przy stoliku siedzi para, facet i jego dziewczyna. Przysiadamy się. Jak ona nas zobaczyła, zaczęła się pultać, ubliżać. Nie wiem – głupia czy charakterna? Wkurwiła nas. Kiedy podniosła do ust szklankę z whisky, Kwiatek wepchnął ją jej w twarz. Pierwszy raz coś takiego widziałem – baba wpieprzająca szkło! Nie twierdzę, że jej smakowało... Z gardła buchnęła jej krew i popłynęła po stoliku. Nawet nie krzyknęła, bo niby jak? Próbowała wyciągać szkło z ust, ale ręce tak jej drżały, że nic z tego. Pewnie skończyła ten wieczór na chirurgii. A jej partner ani drgnął, spuścił tylko głowę i czekał na rozwój wypadków. Podejrzewam, że już nie są razem.

Efekt naszej akcji był zgodny z oczekiwaniami – B., właściciel Olszynki, zadzwonił do Masy i poprosił go o ochronę dyskoteki. Wkrótce przejęliśmy tamtejszą bramkę, a jednym z ochroniarzy został... Kwiatek. Stali z nim między innymi syn Zbigniewa K. „Alego" Renek, stary i młody Dreszcz, Barabas i Słoń.

Wyobraź sobie, że mnie, chociaż bardzo się przysłużyłem do pozyskania tego kontraktu, nie zaproponowano roboty w Olszynce. Ale wzruszyłem ramionami i się nie prosiłem. Nie to nie. Jednak nie widziałem powodów, żeby tam nie bywać. A pewnego wieczoru, gdy siedziałem smętnie nad szklanką, w Olszynce pojawili się Masa i Kiełbasa. Zapytali, dlaczego nie stoję na bramce. Odparłem, że nikt mnie tam nie zapraszał, chociaż akurat nie mam roboty. Wtedy Jarek oświadczył, że pracuję od zaraz. A ja mu na to, że na bramce jest tylu chłopaków, że ma się kto dzielić zyskiem i nie potrzebują kolejnego do tego tortu. Ktoś rzucił wtedy mądrość ludową: „Jak jest tylu do podziału, to jeszcze jeden nie zrobi różnicy", i tak zostałem ochroniarzem w Olszynce. Zresztą za kilka dni bramka trochę opustoszała, bo podczas strzelaniny w Siestrzeni (29 marca 1990 roku; patrz tom *Masa o kobietach polskiej mafii* – przyp. A.G.) zginął Słoń. Muszę przyznać, że jeden z porządniejszych pruszkowskich urków. Nie był wredny i nie szukał intryg tak jak inni. Kiedy pojawiłem się na bramce, to on przywitał mnie najserdeczniej, choć wielu kręciło nosem. No ale robotą z nim nie cieszyłem się długo.

Masa ustalił z B., że zyski z biletów będą dzielone między ochroniarzy (lokal zarabiał wystarczająco dużo na wyszynku). A że Olszynka była modna i każdego wieczoru bawiły się w niej tłumy, było co dzielić. Zdarzało się, że goście płacili podwójną stawkę, byle tylko wejść do środka. Wystarczyło złapać takiego za mankiet i wyjechać mu z tekstem: „Wolnego, kolego, niestety, nie ma miejsc", a wyskakiwał z hajsu natychmiast.

Potem zorientowaliśmy się, że ludzie wchodzący na dyskotekę tracą rozum, więc postanowiliśmy skubać ich na grubo. Jeśli ktoś był na tyle głupi, żeby szpanować złotym łańcuchem na gołej klacie, chłopcy zaraz uczyli go rozumu. Kiedy szedł się odlać, ekipa napadała na niego i zabierała mu biżuterię. Jeśli któremuś z naszych spodobało się futro jakiejś imprezowiczki, to kobita wracała do domu w samej sukience. Nie było przebacz – z fantów wyskakiwał każdy. A wiadomo, że nikt nie chodzi do dyskoteki we włosiennicy, więc mieliśmy duże pole do popisu. Rzadko kto się stawiał.

Ale pewnego razu w Olszynce pojawili się obwieszeni złotem Arabowie. Jak próbowaliśmy ich ogołocić, wyciągnęli noże. Byli dobrze przygotowani na zabawę w stolicy Polski czasów przełomu. Pewnie myśleli, że im odpuścimy. A przecież w tamtych czasach nie baliśmy się niczego. Zdarzało się, że ruszaliśmy z pięściami przeciwko kominom, czyli pistoletom. Owszem, arabskie noże błyszczały imponująco, ale my na to kładliśmy laskę! Rzuciliśmy się na nich i dostali taki oklep, że pewnie rany lizali jeszcze po powrocie na Bliski Wschód. Albo ich hurysy im te razy lizały.

To był czas prosperity – z jednej nocy potrafiłem wyciągnąć do stu dolarów. A przypominam, że w tamtym czasie zielone miały zupełnie inną wartość niż teraz. Za sto baksów można było przebalować całą noc w najlepszym lokalu, i to w dużym towarzystwie. I nie przy wódzie, ale przy dobrej whisky.

Jednak z czasem zaczęło być o nas zbyt głośno. Niektórzy goście szli ze skargą na policję, więc Olszynką zainteresowali się mundurowi. W efekcie po kilku miesiącach straciliśmy ten kontrakt na rzecz… gliniarzy z komendy na Grenadierów.

ROZDZIAŁ 4

Gra na klawo

Karo to człowiek niegdyś mocno skłócony z prawem, który jednak odcierpiał swoje za kratami i próbuje wrócić do normalnego życia.

Spotykamy się tuż po jego wyjściu z więzienia.

Rozmowa w niczym nie przypomina tych z większością przestępców związanych z polską mafią. Facet jest szalenie inteligentny, o szerokich horyzontach i ogromnej wiedzy o tamtych czasach, którą potrafi trafnie interpretować. I nie ma się co dziwić, bo Karo nie wywodzi się z praskiej czy pruszkowskiej patologii; dołączył do struktur jako dwudziestoletni młodzieniec. Ma korzenie inteligencko-artystyczne (nie on jeden, nawiasem mówiąc), więc jego życie mogło potoczyć się zupełnie inaczej. To, że pod koniec lat 80. trafił na bazar Różyckiego i związał się z tamtejszym półświatkiem, wynikało raczej z niezażegnanego w porę młodzieńczego buntu niż z rzeczywistej chęci zostania gangsterem. Okazało się jednak, że kryminalne podziemie ma swój urok, a przede wszystkim umożliwia zarabianie dobrych pieniędzy... Karo postanowił odłożyć plany związane z edukacją i ustatkowaniem się na później.

Szybko zwąchał się z przyszłymi liderami Pruszkowa; choć sam nigdy nie był członkiem tej grupy, utrzymywał z nią bardzo poprawne relacje.

Na bazarze zwrócił jego uwagę przede wszystkim pokątny hazard, gra w trzy karty, w której gracz był zawsze na straconej pozycji. Jakiś czas później uroki zarobkowania na nielegalnych zakładach na wyścigach konnych roztoczył przed Karo Pershing. Tu już wchodziły w grę o wiele wyższe stawki niż na Różycu.

Tak rozpoczęła się miłość przyszłego przestępcy do hazardu, dzięki której – już wkrótce – wylądował w kasynie hotelu Victoria jako trzymający lichwę. Grał chętnie, jednak głównie pożyczał kasę zdesperowanym golcom, którzy za wszelką cenę chcieli się odkuć.

Zanim jednak trafił na salony, imał się rozmaitych zajęć, od których zaczynało wielu chłopców z miasta. Przez pewien czas chodził na wajchę, czyli specjalizował się w gangsterskich sztuczkach wymagających sprytu i umiejętności iluzjonisty. Oto przykład: gość chce kupić brylanty, ale nie zamierza przepłacać. Tymczasem tak się akurat składa, że Karo ma do sprzedania woreczek tych szlachetnych kamieni za naprawdę dobrą cenę. Jako że transakcja jest nielegalna, należy ją przeprowadzić w jakiejś ciemnej bramie i na chybcika. Kamienie są prawdziwe, nabywca delektuje się ich blaskiem i nagle ktoś rzuca hasło: „Uwaga, gliny w pobliżu!". Deal przyśpiesza, gość łapie okazję jedną ręką, drugą podaje zwitek waluty i uczestnicy rozchodzą się, każdy w swoją stronę. Dopiero w domu nieszczęsny nabywca konstatuje, że dał się zrobić w konia – oto wciśnięto mu woreczek wypełniony szkłem za... kilka tysięcy dolarów.

W kasynach panowały inne zasady i zarabiało się inaczej, ale gangsterski kodeks obowiązywał i tutaj. Zatem zdarzały się również porachunki, oczywiście na tle finansowym.

Karo: Gracze mieli ze mną bardzo dobrze. Zawsze dysponowałem kasą, a procent, jaki brałem, nie był szczególnie wygórowany. Jeśli przyszedł do mnie jakiś spłukany nieszczęśnik z prośbą o koło papieru, od razu wyciągałem je z kieszeni i mówiłem: „Jutro zwracasz mi tysiąc sto". I tyle. Dziesięć procent to prawie jak w banku. Poza tym nie zdzierałem z głodujących dzieci, tylko z zamożnych facetów, którzy sami sobie wybrali takie ryzykowne hobby. Gubiła ich zachłanność. A ja na tym zarabiałem. Ja oraz grupa pruszkowska, a mówiąc dokładnie, Masa i Kiełbasa, dla których skupowałem zielone. Zarobek polegał nie tylko na nałożonym przeze mnie procencie. Kiedy gracze dostali ode mnie koło papieru, musieli je obligatoryjnie wymienić w kasie kasyna na złotówki. A złotówki na żetony. Kurs wymiany był w kasie bardzo kiepski. Odnosząc to do dzisiejszych realiów, można powiedzieć, że wynosił trzy złote, podczas gdy oficjalnie – trzy pięćdziesiąt. Gracze dostawali tam kwit, który musieli mi oddać w wypadku przegranej. A wtedy wykupywałem dolary z kasy. Oczywiście nie za własne pieniądze, lecz za środki od pruszkowskich. Oni mieli masę złotówek – z napadów na tiry, z handlu spirytusem itp. – i chcieli je zamienić na pewniejszą walutę.

Zdarzało się, że w ciągu jednej nocy trafiało się od pięćdziesięciu do siedemdziesięciu tysięcy dolarów. Zawoziłem je do Pruszkowa, a oni odkupywali ode mnie po cenie zbytu, czyli na bardzo atrakcyjnych warunkach. Miałem z tego – przeliczając po dzisiejszym kursie – około pięćdziesięciu groszy na dolarze. Zatem też bardzo dobry zarobek.

Problem w tym, że nie byłem jedynym lichwiarzem w kasynie, tyle że inni oferowali znacznie gorsze warunki. Szybko stałem się solą w oku konkurencji, niejakiego Andrzeja G. „Grabara". Kiedy stało się jasne, że między mną a Grabarem dojdzie do prawdziwej wojny, zatelefonowałem do Masy i wyłuszczyłem problem. Wcześniej kończyło się na drobniejszych incydentach, krótkich sparingach na pięści, które z reguły przegrywałem, bo Grabar miał za sobą karierę bokserską, ale teraz bałem się o życie. Masa obiecał interwencję. Zapowiedział swoje przybycie do Victorii na kolację w asyście trzydziestu karków. I rzeczywiście, następnego wieczoru stawiła się w kasynie regularna armia. Ochroniarze nawet nie próbowali legitymować pruszkowskich, choć mieli taki obowiązek. No ale wobec takiej siły przestają obowiązywać wszelkie standardy.

Było jednak drobne ale – Grabar przyjaźnił się z Pershingiem, a pruszkowscy próbowali ułożyć sobie z tym ostatnim w miarę poprawne relacje. Tak więc interwencja mogła odbić się czkawką w środowiskach przestępczych. Jednak Masa i Kiełbasa nie kalkulowali; skoro byłem w niebezpieczeństwie – a przede wszystkim w niebezpieczeństwie były ich pieniądze – Grabara należało dojechać.

Panowie postanowili dobrze zjeść przed akcją, zatem rozpoczęła się biesiada. Jeden z jej uczestników, imieniem Zygmunt, zamówił butelkę whisky i... osiem tatarów (jak mówił: „tatarszczuków"). Ku mojemu zdumieniu poradził sobie i z jednym, i z drugim w mgnieniu oka. Następnie przystąpiono do debaty nad metodami dojechania Grabara. Ustalono, że zostanie zawinięty w dywan i wywieziony do lasu. Stara śpiewka. Nagle ktoś zauważył przytomnie, że w kasynie nie ma dywanów, tylko wykładzina;

padła propozycja, żeby wyciąć fragment i zawinąć lichwiarza... Bo jednak pewnych mafijnych procedur należało przestrzegać. Nie można było faceta, ot tak, wyprowadzić przez drzwi.

Dyskusja trwała, aż Grabar zorientował się, co jest grane (ktoś mu doniósł o niebezpieczeństwie), i po angielsku – czyli nie informując nikogo – wyszedł z Victorii i rozpłynął się we mgle. Z braku laku pruszkowscy zdemolowali kasyno (jakoś trzeba było zaznaczyć obecność) i odjechali w swoją stronę.

Natomiast Grabar za jakiś czas powrócił do stolika, ale od tej chwili nie przeszkadzał mi w pracy.

A hazardowy biznes rozkwitał w najlepsze. Pojawiła się metoda gry na klawo, co oznaczało grę, w której wygrywało się zawsze. Dziś, w czasach wszechobecnych kamer i podsłuchów, rzecz byłaby niemożliwa, ale wtedy, jeżeli współpracowało się z obsługą kasyna, można było bezkarnie zarabiać wielkie pieniądze. Grający zawsze mieli farta. Jakim cudem? A takim, że karty rozdawał krupier. Jeśli nikt nie obserwował go przy pracy, jak miał udowodnić, że na stół poleciała królowa, a nie walet? Owszem, krupier ma nad sobą kierownika stołu, a ten z kolei pitbossa, czyli kierownika sali, ale przecież ich też można skorumpować.

Czasem brali pieniądze, czasem dostawali od nas bardzo wówczas popularne skody favoritki. Rzecz jasna kradzione, ale zalegalizowane (patrz *Masa o pieniądzach polskiej mafii*).

Z nimi wiąże się zresztą pewna przykra historia. Mistrzem w zawijaniu favoritek był mój dobry kolega, niejaki Bolek. Gdy pewnego razu próbował dostać się do auta, usłyszał: „Odwal się od mojej skody, bo stanie ci się coś złego!". Odwrócił się i zobaczył w oknie kamienicy jakiegoś mężczyznę, ale nie przejął się pogróżkami i wrócił do roboty. Tymczasem właściciel sięgnął po pistolet i strzelił Bolkowi centralnie w plecy. Jako wojskowy miał służbową broń. Nie wiem, czy odpowiedział za to zabójstwo. Mam nadzieję, że tak.

A wracając do warszawskiego kasyna... Krupierzy bardzo chętnie współpracowali z Pruszkowem. Przy ruletce o taki przewał byłoby trudniej, bo dookoła stołu zawsze ustawia się sporo gapiów, a w black jacku wszystko rozgrywa się w kameralnym gronie zainteresowanych. Jeśli dogadają się co do pryncypiów, nikt im nie podskoczy. Gdy pojawiał się przy stoliku ktoś niezorientowany, słyszał krótkie „spierdalaj" i odchodził.

W innych czasach taki numer szybko wzbudziłby podejrzenie szefów kasyna, jednak na początku lat 90. do gry garnęły się tak wielkie tłumy naiwniaków, a przez kasę przewijały się tak gigantyczne pieniądze, że nikt nie przejmował się drobnymi stratami. Liczonymi w setkach tysięcy dolarów...

ROZDZIAŁ 5

„Oczko” gryfa

Szczecin w latach 80. był miastem kompletnie niepodobnym do innych polskich miast. Podczas gdy większość – ze stolicą na czele – nie była w stanie pozbyć się burej przaśności stanu wojennego, gród z głową gryfa w herbie kwitł i niewprawnemu oku jawił się, nie przymierzając, jak Zachód. Powód, dla którego Szczecin wyglądał o wiele bardziej kolorowo niż Warszawa, Bydgoszcz czy Białystok, był oczywisty: port, czyli handlowe okno na świat. Heroldami owego świata stali się marynarze, którzy przywozili dolary i rozmaite dobra, niedostępne w innych częściach kraju. Chętnych na towary było wielu. Nawiasem mówiąc, na statkach przypływały nie tylko dobra legalne, ale i narkotyki, na które popyt rósł nieustannie. Być może stwierdzenie, że Szczecin odgrywał rolę polskiego Miami, to lekka przesada, ale jest w nim namiastka prawdy.

Przynajmniej w kwestii przestępczości zorganizowanej.

A.G.: Nie kusiło cię, jako młodego chłopaka, żeby zakosztować tych szczecińskich luksusów? Przecież i w Pruszkowie musiały krążyć legendy o portowym mieście i atrakcjach, jakie oferuje...

J.S.: Jasne. Wiedzieliśmy, że to eldorado, choć tak naprawdę nie mieliśmy pojęcia, na czym polega. Postanowiliśmy sprawdzić rzecz wkrótce po zniesieniu stanu wojennego. Gdybym wcześniej miał za sobą hamburską przygodę (patrz *Masa o pieniądzach polskiej mafii* – przyp. A.G.), pewnie śmiałbym się z tych opowieści o uciechach Szczecina. No ale był rok 1983 i Zachód znałem jedynie z filmów.

Kopnęliśmy się zatem z chłopakami nad Odrę i pierwsze, co się nam rzuciło w oczy, to zagraniczne samochody: i niemieckie, i amerykańskie, i jakie tylko chciałeś. Nie twierdzę, że same topowe i najnowsze modele, ale wziąwszy pod uwagę, że w Warszawie rządziły polonezy i łady, te z lekka nieświeże mercedesy czy chryslery robiły wrażenie.

Czy jeździli nimi wyłącznie ludzie z miasta? Niekoniecznie, ale trzeba pamiętać, że w Szczecinie zawsze było silne podziemie przestępcze. Wśród tamtejszych urków prym wiódł niejaki Rataj.

Spodobała nam się okolica – nie tylko Szczecin, ale też piękne i rozrywkowe Międzyzdroje. Być może to właśnie tam zakiełkowała w mojej głowie myśl, że przestępczość zorganizowana to niezły pomysł na życie. Otóż pewnego razu byłem świadkiem, jak ludzie Rataja dojechali bramkarzy, którzy pobili kogoś z jego ekipy. Nie wiem, o co poszło, kto się komu postawił, ale fakt faktem, że człowiek od Rataja dostał w cymbał i boss postanowił pomścić tę zniewagę. Skrzyknął swoich i pojechali pod dyskotekę, oczywiście pod legendarną Scenę, gdzie doszło do rękoczynu. Cała ekipa zmieściła się raptem w jednym amerykańskim vanie, ale że były to ostre chłopaki, przeciwnik musiał uznać ich wyższość. Oczywiście najlepsze rozegrało się nie na oczach, ale gdzieś w lesie; bramkarzy zatargano za łby do auta i wywieziono na przejażdżkę. I oprawiono ich proporcjonalnie do winy, pewnie ze sporą nawiązką.

Za to potem ludzie Rataja nie musieli się w Scenie obawiać nikogo.

Widziałem ten wpierdol i uświadomiłem sobie, że istnieją skuteczniejsze rozwiązania prawne niż policja, prokuratura i sądy. Oraz że grupa może więcej niż samotny jeździec. Zakumplowałem się z Ratajem. Nie żeby stał się moim guru, ale na pewno jakieś tam piętno na mojej osobowości odcisnął. Potem, jeszcze w latach 80., wielokrotnie jeździliśmy z chłopakami i do Międzyzdrojów, i do Szczecina, poszerzając krąg naszych znajomych z półświatka.

A.G.: Czy już wtedy dołączył do niego Marek M. „Oczko"?

J.S.: Nie, Oczkę poznaliśmy nieco później. Za czasów schyłkowej komuny Marek nie był w Szczecinie kimś szczególnie ważnym. Kręcił jakieś swoje lody, przy okazji stawał na dyskotekowej bramce, ale na pozycję bossa musiał jeszcze trochę popracować. Wylansował go dopiero Andrzej Z. „Słowik", krajan ze Stargardu Szczecińskiego. Andrzej był szanowany w mieście; jako były więzień cieszył się mirem, a poza tym nigdy nie dawał sobie dmuchać w kaszę. Może nie przypominał Herkulesa, ale nie schodził z drogi nawet silniejszym. Miał charakter, tego nie wolno mu odbierać, choć, oczywiście, w sumie jako człowieka oceniam go jak najgorzej. Gwoli sprawiedliwości – to starzy zrobili z niego okrutnika, którym pewnie nie był na początku kariery. Zresztą do dziś nie wiem, dlaczego nie chciał latać z nami, z młodymi, tylko od razu przylgnął do starych. Przecież wiekowo było mu znacznie bliżej do mnie niż do, powiedzmy, Parasola.

A.G.: Mieliśmy mówić o Marku M.

J.S.: No tak, ale nie byłoby go z nami, gdyby nie Słowik. Kiedy już Andrzej Z. doklepał do nas, zaczął jeździć po kraju i korzystać z uroków życia zagwarantowanych członkom grupy pruszkowskiej. Tu bzyknął, tam przypierdolił, tam odzyskał dług, jeszcze gdzie indziej wykonał wyrok... Takie proste gangsterskie życie, głównie na trasie Pruszków–Lublin–Szczecin. Nad Odrą zwąchał się jakoś z Oczką i traktował go jak swoją wtyczkę w tamtejszym kryminalnym środowisku. Pewnego pięknego dnia pojawił się u Bola, czyli Zygmunta R. (to właśnie on wprowadził Słowika do grupy), z propozycją, że Pruszków podporządkuje sobie Szczecin. Od dawna było wiadomo, że w porcie płynie rzeka hajsu, głównie z przemytu samochodów i handlu prochami, a ten, kto położy na niej łapę, będzie wygrany. Słowik typował Oczkę na naszego rezydenta. Starzy to zaakceptowali, bo zdążyli Marka M. poznać. Słowik zachwalał go jak wytrawny sprzedawca rasowych koni.

A.G.: No ale skoro w Szczecinie hajs płynął szerokim strumieniem, znaczyłoby to, że gangsterski tort podzielono tam już dawno. Chcieliście się podłączyć?

J.S.: Podłączyć? Chyba żartujesz! Pruszków był za silny, żeby czekać pod stołem, aż coś mu skapnie. To my mieliśmy rozdawać karty, podrzucając coś ewentualnie podwykonawcom.

A.G.: A czy podporządkowanie sobie Szczecina nie kłóciło się z twoją lojalnością wobec Rataja i innych lokalnych watażków? Chyba się lubiliście?

J.S.: Faktycznie, pewien zgryz był, ale kiedy położyłem na szali lojalność wobec Rataja i lojalność wobec mojej własnej grupy, nie muszę chyba mówić, co przeważyło. Zarówno ja, jak i Kiełbacha nie mieliśmy wątpliwości, co jest dla nas naprawdę ważne. Kiedy w grę wchodzi siano, sentymenty nie mają racji bytu. Zresztą kto powiedział, że Rataj nie może pracować dla nas?

A.G.: Jak wyglądało to przejęcie?

J.S.: Była już pierwsza połowa lat 90. Zrobiliśmy wjazd, i to naprawdę na grubo. Ostatecznie nie przejmowaliśmy jakiejś pipidówy, ale metropolię o pięknej gangsterskiej tradycji. Pojechaliśmy tam w kilkadziesiąt samochodów, przy czym w kawalkadzie znalazło się kilka wraków, żeby się psiarnia nie czepiała. Gdyby jechały same mesie i bumy, mogłyby wzbudzić podejrzenie mundurowych. Broń załadowaliśmy właśnie do tych najgorszych samochodów. Do starcia doszło w hotelu Radisson, tam gdzie mieli swoje biura lokalni watażkowie. Właściwie to nie wiem, czy określenie „starcie" jest na miejscu, bo druga strona nawet nie próbowała się bronić. A nawet jeśli, były to tylko pozory przed padnięciem na kolana.

A.G.: Czekali na was, czy wzięliście ich przez zaskoczenie?

J.S.: Nie umiem powiedzieć, kto miał świadomość tego, co nastąpi. Na pewno wiedział Oczko i to on z pewnością puścił w obieg wiadomość, że pruszkowscy będą próbowali przejąć miasto. Być może już wtedy sugerował, że za chwilę zostanie miejscowym mustafą. Tak czy inaczej tamtego dnia w Radissonie znalazło się kilku liczących się bonzów, a tych, którzy się nie stawili, powyciągaliśmy z domów. Jedni i drudzy zostali odrobinę sponiewierani. Jeden dostał z pięści, drugi z buta, a trzeciego potraktowało się kolbą kałacha.

Jechaliśmy na kozaku. Jak ktoś był oporny, to go do bagażnika. I w łeb, i w łeb...

Najbardziej skutki najazdu odczuł Sylwek O., uważający się za miejscowego *capo di tutti capi*.

Po pewnym czasie wszystko stało się jasne: Pruszków będzie rządził także w Szczecinie.

A.G.: W hotelu z pewnością był monitoring. Policja nie próbowała zapobiec?

J.S.: Już widzę tych dzielnych funkcjonariuszy, którzy wyskakują z radiowozu, pędzą na miejsce zdarzenia, przytrzymując czapki, żeby nie pospadały, i apelują o spokój. Żałuj, że nigdy nie byłeś świadkiem takiej akcji. Jakbyś zobaczył prawie setkę napakowanych byków, uzbrojonych po zęby i gotowych na wszystko, też byś gorączkowo szukał mysiej dziury. Poza tym pamiętaj, myśmy nie napadli na porządnych ludzi, ale na wrednych skurwysynów, z których upokorzenia cieszył się pewnie cały Szczecin. Nasz komunikat był krótki: wszyscy w pizdu, do domu i siedzieć cicho! Jak ktoś chce pozostać w branży, od dziś opłaca się nam. Z każdego interesu duży procent. Kasę zbiera Oczko i wszelkie zapytania należy kierować do niego.

A.G.: Sam Oczko, nawet jeśli pod sztandarami Pruszkowa, to trochę za mało, żeby trzymać za twarz podziemie kryminalne dużego miasta…

J.S.: No ale przecież Marek nie był sam! Miał swoich chłopaków z dawnych lat. I od razu doklepało do niego wielu pruszkowskich. Zmontował całkiem solidną ekipę, której nikt nie śmiał podskoczyć. Poza tym szczecińskie urki od razu przeszły do Oczki, porzucając dotychczasowych bossów. Coś takiego spotkało mnie kilka lat później, kiedy starzy zabili Pershinga, a mnie zmusili do ucieczki. Moi ludzie, a przecież dysponowałem prawdziwą armią, opuścili mnie od razu. Kilka dni i byłem sam jak palec. Mafia to wcale nie niewzruszony sztandar, tylko cała masa chorągiewek na wietrze. Wystarczy mały podmuch i wszystko zmienia się jak w kalejdoskopie. Szef przestaje być szefem, przyjaciel przyjacielem. Dlatego kiedy słyszę bajki o charakternych chłopakach, które stoją za sobą murem na śmierć i życie, to mnie ogarnia pusty śmiech. Wystarczy tupnąć nogą, a pozorni twardziele robią pod siebie i biją pokłony.

A.G.: Oczko sprawdził się jako rezydent?

J.S.: Muszę przyznać, że okazał się bardzo sprawnym organizatorem i skutecznym windykatorem. Tak sprawnym, że wkrótce obrósł w piórka i z czasem funkcja przestała mu się podobać. Uznał, że będzie udzielnym panem na włościach i nikt mu nie będzie mówił, co wolno, a czego nie. Rzecz w tym, że wiązały go ze starymi liczne interesy i wojna z nimi mu się nie opłacała. Dlatego Bolo czy Parasol przymykali oko na wybujałe ambicje Marka. Oni udawali, że Oczko pozostaje pod ich pełną kontrolą, a on udawał, że wybił się na niezależność. Zresztą tę niezależność demonstrował jak każdy mafijny nuworysz: kupił sobie ferrari, obwiesił się złotem, otoczył pięknymi kobietami. Tylko brakowało, żeby wykupił sobie lożę w operze.

A.G.: Nigdy zatem nie doszło do ostrzejszego konfliktu między wami a grupą Oczki?

J.S.: Iskrzyło bez przerwy, ale przez dłuższy czas beczka prochu nie eksplodowała. Współpraca kulała, ale szła do przodu. W pewnym momencie Oczko znikł ze sceny; uciekł gdzieś przed poszukującą go policją, a ster przejął wspomniany wcześniej Sylwek O. Kontynuował dzieło poprzednika, czyli kręcił lody za naszymi plecami. Mieliśmy tego świadomość, bo się specjalnie nie krył. Ale i on w końcu poszedł na wystawkę…

A.G.: Obrazów?

J.S.: Nie, rzeźby współczesnej! Bo był zakochany w sztuce. Bez jaj! Poszedł na wystawkę, czyli musiał spierdalać przed psiarnią. I znikł. Grupę po nim przejął Zdzisław T., pseudo Pastor, człowiek, na którego starzy mieli alergię, ale ze mną odnajdował wspólny język. Pisaliśmy o nim w książce *Masa o pieniądzach polskiej mafii*.

A.G.: Przypomnijmy. Pastor pojawił się jako jeden z uczestników konfliktu wywołanego przez dwóch biznesmenów z Pomorza: S. i C. S. uważał, że C. jest mu winien kilkaset tysięcy dolarów, natomiast C. twierdził, że to S. mu wisi te pieniądze. Obaj odwołali się

Fot. Piotr Liszkiewicz/East News

do gangsterskiego arbitrażu – C. postawił na Pruszków, natomiast S. na grupę szczecińską. Pastor, choć formalnie lennik Pruszkowa, postanowił doprowadzić do konfrontacji.

J.S.: Dokładnie. Wtedy właśnie uznaliśmy, że żarty się skończyły. Pojechaliśmy do Świnoujścia kawalkadą kilkudziesięciu samochodów. Na czele wyprawy stali starzy: Malizna i Parasol. Byliśmy uzbrojeni, prawie jak GROM w Afganistanie, od broni maszynowej po granaty. Pastora nie było wtedy w Świnoujściu, tylko jego wysłannicy. Kiedy do szczecińskiego bossa dotarła informacja o zagrożeniu, przyjechał na negocjacje; zdał sobie sprawę, że przegiął i ewentualne podjęcie rękawicy zakończy się krwawą jatką. Dogadaliśmy się w sprawie konfliktu pomiędzy C. i S. i trochę załagodziliśmy nasze relacje. Choć starzy nigdy nie przekonali się do Pastora (i vice versa), ja robiłem z nim interesy. Z tamtych czasów pochodzi pewna dramatyczna historia, na szczęście zakończona happy endem. Otóż latał wtedy u mnie Ryszard B., ten sam, który dziś odsiaduje długi wyrok za zabójstwo Pershinga. Ja zaś przekazałem go starym. Cały czas kręcił się po Polsce i pewnego razu zaniosło go do Szczecina. Tam zaczął się przechwalać, dla kogo pracuje. Jak Pastor się dowiedział, że na jego terenie działa ktoś od starych, wpadł w szał i natychmiast kazał zawinąć Ryśka. Wrzucił go do jakichś kazamatów i rękoma swoich ludzi sponiewierał jak burą sukę. I pewnie nigdy już B. nie zobaczyłby światła dziennego, gdyby resztką sił nie wybełkotał, że jest od Masy i że można to sprawdzić. Pastor zadzwonił do mnie i pyta: „Jarek, lata u ciebie ten gość?". Ja na to, że owszem. Wtedy Pastor jęknął: „Tylko to go, kurwa, uratowało, bo już chcieliśmy z nim jechać!".

A.G.: Czy można uznać, że Pruszków ostatecznie odzyskał Szczecin?

J.S.: Niezupełnie. Już nam nie płacono działek, ale jako że robiliśmy z tamtejszymi grubsze interesy, i to na całej ścianie zachodniej, i tak wychodziliśmy na swoje. Ale to już temat na osobną opowieść.

* * *

Kilka dni po napisaniu tego rozdziału media podały informację, że Marek M. „Oczko" został aresztowany. Nakaz zatrzymania gangstera wydała prokuratura prowadząca śledztwo w sprawie zabójstwa ochroniarza w szczecińskiej agencji towarzyskiej El Chico. Mężczyznę zastrzelono w 1995 roku, a organy ścigania podejrzewały, że za zabójstwem mógł stać słynny boss. Wraz z Markiem M. zatrzymano także jego kompana, prawdopodobnie także zamieszanego w sprawę. Jeśli sąd uzna Oczkę za winnego, gangster spędzi resztę życia za kratkami.

ROZDZIAŁ 6

Obcięta głowa

Ten pozew wywołał we mnie wielkie zdumienie. Nie, nie obawę, nie zdenerwowanie, bo jako redaktor naczelny magazynu „Śledczy" nauczyłem się żyć pod presją, ale zwyczajne zdumienie. Pozywała nas córka osoby zabitej przez kilerów mafijnego bossa Jeremiasza B. „Baraniny".

Nie będę wchodził w szczegóły roszczeń, tym bardziej że sprawa pozwu wciąż pozostaje daleka od ostatecznego rozwiązania. Wystarczy napisać, że zdaniem córki Lesława H. uczyniliśmy z niego gangstera, a przede wszystkim – publikując policyjne zdjęcie – ujawniliśmy jego wizerunek. Bo przecież w środowisku znany był jako człowiek porządny i uczciwy, a przypisywanie mu związków z przestępczością zorganizowaną jest rzeczą absolutnie niewłaściwą. Powinniśmy zatem, jako redakcja, ponieść słuszną karę.

Problem w tym, że Lesława H. przedstawiliśmy jako o f i a r ę mafijnego okrucieństwa, nie zaś jako złoczyńcę. A fakt, że zbliżył się do kręgów, które należy omijać szerokim łukiem, nie podlega dyskusji.

Ale do rzeczy.

W numerze czwartym „Śledczego" z 2013 roku, w artykule zatytułowanym *Prawdziwa twarz Baraniny: z zimną krwią mordował bliskich* Ewa Ornacka opisała bardzo bogatego biznesmena, który pierwsze kroki w świecie pieniędzy stawiał w tym samym czasie co Baranina. Zażyłość obu panów stanowiła standard w środowisku ludzi przedsiębiorczych, tworzących zręby kapitalizmu w drugiej połowie lat 80. Wspólne cele, nie zawsze osiągane zgodnie z literą prawa, na przekór socjalizmowi, łączyły.

Według Ornackiej: „Mówiono o nim wtedy »król wajchy«, bo w latach 70. dał się poznać jako mistrz szwindli walutowych. Jeździł do Budapesztu, gdzie handlował dolarami i niemieckimi markami, kantując turystów na potęgę". Lesław H. rzeczywiście zaczynał od waluty (nie on jeden zresztą), ale wkrótce rozwinął skrzydła. „Woził alkohol i papierosy pomiędzy Polską, Holandią i Niemcami. Właśnie do takich jak on raczkująca jeszcze mafia pruszkowska i przygraniczne gangi przychodziły po haracz. Lesław H. nie należał do strachliwych. Podzielił się tym, co miał, po dobroci i zapraszał »prześladowców« na drinka do kasyna. Przegrywali to, co na nim zarobili, a potem hulali zgodnie do białego rana".

Ewa Ornacka nie wyssała informacji z palca. Życie bohatera jej artykułu było obiektem dogłębnych studiów i policji, i prokuratury.

Sprawa H. przez pewien czas krążyła po mediach. Dziennikarz „Gazety Wyborczej" Adam Zadworny napisał: „Siwy prowadził rozległe międzynarodowe interesy. Oficjalnie handlował m.in. winami musującymi i inwestował w nieruchomości. Jednak Policja i Straż Graniczna uważały go za rekina

Fot. Robert Newald/Reporter

podziemia gospodarczego. Z jego działalnością wiąże się m.in. akcja polskich i niemieckich pograniczników pod kryptonimem »Ośmiornica«, przeprowadzona ponad dwadzieścia lat temu – w lutym 1992 r., aresztowano też wtedy wspólnika Lesława H. i skorumpowanych celników. Sam Lesław H., podejrzany o organizację olbrzymiego przemytu papierosów, uciekł. Wpadł 19 grudnia 1994 r. w warszawskim hotelu Novotel. Posługiwał się wtedy oryginalnym polskim paszportem wystawionym na inne nazwisko".

Lesław H., działając na s t y k u biznesu i przestępczości (podkreślenie A.G.), nie obawiał się zapewne ludzi z gangów. Dlatego pierwsze uprowadzenie, w kwietniu 1995 roku, musiało być dla niego szokiem. Jak się okazało po latach, za porwaniem stał jego kompan Baranina. Wolność kosztowała ofiarę sto tysięcy dolarów.

Niespełna trzy lata później H. został uprowadzony po raz drugi, ponownie na rozkaz tego samego bossa. Trudno dziś ustalić przyczyny, ale ponoć gdy nie wiadomo, o co chodzi, chodzi o... Pieniędzy Lesław H. miał naprawdę dużo. Jednak wytłumaczenie, że Baraninie zależało wyłącznie na okupie, może się okazać nadmiernym uproszczeniem. Może Siwy wiedział zbyt wiele o swoim szczególnym kompanie? Oczywiście Jeremiasz B. nie brudził sobie rąk krzywdzeniem ludzi – rezydował wówczas w Wiedniu, a do paskudnej roboty zatrudniał niewielką, ale sprawną ekipę przestępców.

Nikt nie miał pojęcia, o co poszło – nawet pruszkowscy gangsterzy, proszeni o interwencję, zapewniali, że nie wiedzą, kto stoi za uprowadzeniem. Lesław H. do domu nie wrócił już nigdy. Po czternastu latach prokuratura ustaliła, że ofiarę zamordowano, a następnie odcięto jej głowę i dłonie, aby utrudnić identyfikację. Ciała wprawdzie nie odnaleziono, ale stan faktyczny nie budził wątpliwości śledczych.

Zapewne nigdy byśmy się nie dowiedzieli, kto stał za udręczeniem i śmiercią Lesława H., gdyby nie zeznania jednego z ludzi Baraniny, Piotra P. To on podzielił się wiedzą o zwyczajach panujących w grupie bossa i innych uprowadzeniach dla okupu.

Lesław H. po incydencie w 1995 roku nie zamierzał już płacić Baraninie ani grosza. Chciał przenieść się na wyspę, do Świnoujścia, aby z wyprzedzeniem reagować na ewentualne zagrożenie (miejscowi doskonale wiedzą, czy na pokładzie promu znajdują się obcy). Jednak porywacze pokrzyżowali jego plany – ogłuszono go na jednej ze szczecińskich ulic i wywieziono w siną dal.

Zdaniem Piotra P., H. znajdował się na liście dłużników grupy Baraniny i prawdopodobnie próbowano go przekonać do zapłacenia należności. Być może, zgodnie z wcześniejszymi deklaracjami, odmówił, więc gangsterzy uznali, że tak opornego klienta należy po prostu wyeliminować. Zarówno jako przestrogę, jak i dla własnego bezpieczeństwa. Żeby nie zaczął gadać.

Ponoć jeden z morderców, wyjeżdżając samochodem z lasu po egzekucji, trzymał czarną foliową torbę. Spoczywała w niej głowa ofiary. Auto przystanęło na chwilę przy trzęsawisku Kuranowo, a oprawca z torbą wysiadł i znikł między drzewami. Po jakimś czasie powrócił do kompanów z pustymi rękami.

Problem w tym, że Piotr P. w morderstwie nie uczestniczył. Potwierdza wprawdzie czarny scenariusz śledczych, ale to wciąż tylko poszlaki. Twardych dowodów brak. Dlatego między innymi magazyn „Śledczy" zdecydował się opisać sprawę i skorzystać ze zdjęcia zamieszczonego na stronie internetowej Policji. Uznaliśmy, że być może znajdą się ludzie, którym twarz Lesława H. wyda się znajoma. I że poszerzą naszą wiedzę w kwestii wydarzeń z lipca 1998 roku. Nie traktowaliśmy Siwego jak przestępcy, przeciwnie – jak ofiarę, której los należy wyświetlić z detalami. To należy się także jego rodzinie, która bez wątpienia wolałaby choćby i najgorszą prawdę od koszmaru niepewności.

We wspomnianym artykule oczy Baraniny przesłoniliśmy czarnym paskiem, dając w ten sposób do zrozumienia, kto jest czarnym charakterem. Wizerunek H. zaś został opublikowany bez jakiegokolwiek zasłaniania czy pikselizacji. Dla dobra sprawy. A nuż artykuł Ewy Ornackiej przysłuży się kiedyś wyjaśnieniu mrocznej zagadki?

ROZDZIAŁ 7

Na zachodzie bez zmian. W zasadzie

Jesienią 2000 roku wielu mieszkańców ziemi lubuskiej odetchnęło z ulgą – policja rozbiła grupę lokalnego herszta Zbigniewa M., pseudonim Carrington. On sam trafił do aresztu, kończąc tym samym burzliwą, jak się okazało, mafijną karierę. Wprawdzie ze względu na stan zdrowia szybko opuścił więzienne mury, ale jak śpiewał znany zespół: „Nigdy nie był już sobą, o nie".

Przy tej okazji światło dzienne ujrzały fakty, które zwykłym ludziom, niezorientowanym w realiach gangsterskich porachunków, dosłownie mroziły krew w żyłach. Nie będzie przesady w stwierdzeniu, że wojna o wpływy nad Odrą była równie krwawa, jak konflikt Pruszkowa z grupą braci N. z Ząbek. A może nawet bardziej.

Opisując przestępcze dokonania Carringtona, „Gazeta Lubuska" przypominała: „W świecie przestępczym ten 32-letni (w 1998 roku – przyp. A.G.) wówczas absolwent zasadniczej szkoły zawodowej był już gwiazdą. A zaczynał od przemytu papierosów. Szybko jednak przekonał się, że alkohol jest znacznie bardziej dochodowy. Zasłynął pomysłowością i kreatywnością. Uważany był za lubuskiego i dolnośląskiego rezydenta siejącej wówczas postrach mafii pruszkowskiej, miał kontakty z »Wołominem« i słynnym Nikosiem.

Nawiązując do postaci znanego wówczas tasiemcowego serialu, zyskał miano Carrington (Carry), ale bardziej odpowiednio brzmiał inny pseudonim – Król Spirytusu. W tym czasie oficjalnie był właścicielem kilku firm transportowych specjalizujących się w przewozach mebli. I... głównym celem zamachów.

W 1997 roku dwukrotnie do niego strzelano, a w sierpniu 1998 roku przed budynkiem, w którym mieszkał, w Zawidowie eksplodowała bomba. Gangster opłacił to wydarzenie bliznami na twarzy i... brakiem zaufania do otoczenia. Uzasadnionym. Wówczas też wybuchła krwawa wojna (tzw. wojna zgorzelecka), gdzie swoich ludzi do boju wiedli dwaj dawni wspólnicy – Carrington i Lelek. W 1998 roku zginęło kilkanaście osób".

Rzeczywiście było się o co bić.

A.G.: Czy Carrington naprawdę był tak wielką gwiazdą w mafijnym światku?

J.S.: To kolejny, obok Janusza T. „Krakowiaka" ze Śląska, wytwór medialnej propagandy. Był ważny, co do tego nie ma wątpliwości, ale według mnie znacznie silniejszy był jego konkurent, czyli wspomniany Lelek. A poza tym obaj tańczyli tak, jak im zagrał Pruszków. A zatem nie róbmy ze Zbigniewa M. niezależnego watażki.

A.G.: A jednak, kiedy mówimy o podziemiu kryminalnym Zgorzelca czy szerzej – ziemi lubuskiej, to właśnie on przychodzi mi na myśl. Ostatecznie moją wiedzę o polskiej mafii również ukształtowały media... Opowiedz zatem, jak było naprawdę. Kiedy zainteresowaliście się ścianą zachodnią i kto był waszym sojusznikiem: Carrington czy Jacek B. „Lelek"?

J.S.: Po kolei. Na początku naszej bandyckiej dekady, kiedy ruszaliśmy na podbój kraju, wiedzieliśmy, że na tak zwanej ścianie zachodniej, czyli królestwie przemytników, zależy nam szczególnie. Handlowano tam wszystkim, ale w roli głównej występowały fury i prochy. A na początku spirytus. Postanowiliśmy zatem jak najszybciej skolonizować tereny od Szczecina po Jelenią Górę, z naciskiem na Zgorzelec i okolice. Na pierwszy ogień poszedł Szczecin, o czym wspominałem wcześniej, ale zaraz potem ruszyliśmy na dół.

A.G.: Bez jakiegokolwiek wsparcia ze strony lokalnych struktur?

J.S.: Znaliśmy teren dzięki Leszkowi D. Nie, nie chodzi mi o Wańkę, lecz o tego, który pochodził z Zielonej Góry i kręcił lody już w latach 80. A dokładnie zajmował się przemytem spirytusu, bardzo chodliwego towaru w ostatnich miesiącach żywota PRL-u.

A.G.: Słynny spirytus Royal?

J.S.: Royal to była marka z jednej dostawy, która przybyła tankowcem. Tak naprawdę firm produkujących ten niekoniecznie nadający się do picia spirytus było wiele. I na całym świecie. Innym razem natomiast przyjechał do Polski spirytus drzewny o wdzięcznej nazwie Chopin. Było tego całe mnóstwo!

A wracając do Leszka D... Podobnie jak wielu innych z półświatka, poznaliśmy go w Świnoujściu, gdzie przyjeżdżaliśmy na balety. To on namawiał nas na wejście w spirytusowy biznes. Jak się wtedy mówiło, był doklepany z władzą centralną.

A.G.: Z władzą, czyli kimś ważnym w rządzie Mieczysława Rakowskiego?

J.S.: Dokładnie. Albo i z nim samym. I ciągnął dla niej, znaczy dla tej władzy, spirytus z Niemiec. Skala była taka, że jak jeden pociąg przyjeżdżał do Zielonej Góry, to z Berlina już ruszał następny. Ruch wahadłowy, które ledwie zaspokajał zapotrzebowanie na szlachetny trunek. Dzięki układom z rządzącymi D. sprowadził do Szczecina pełny po brzegi olbrzymi tankowiec. A następnego dnia niespodzianka: zakaz importu spirytusu. Wyobrażasz sobie, ile kasy przycięli na tym organizatorzy? Ceny skoczyły pod niebo. Nie mam wątpliwości, D. był jednym z głównych beneficjentów. Mowa o cholernie bogatym gościu, z rolls-royce'ami przed rezydencją! A jak ktoś ma kapusty jak lodu, to mu tylko nowe dupy w głowie. D. przyjeżdżał więc do Warszawy czy do Międzyzdrojów i organizował takie balety, że żaden scenarzysta by ich nie wymyślił. Wynajmował luksusowe wille i tam zapraszał miłych gości. Jego przykład dał mi do myślenia; uznałem, że polsko-niemieckie pogranicze jest doskonałym terenem do zbicia fortuny, tym bardziej że D. chętnie dzielił się wiedzą, co robić, żeby zarobić.

Ruszyliśmy do akcji. W tamtym czasie o Zgorzelcu krążyły legendy. To był przemytniczy raj dla ludzi, którzy działali dla różnych grup. Na tamtejszej scenie przestępczej nie było jeszcze żadnego dominatora. Lelek i Carrington też nie byli rozgrywającymi, co najwyżej rośli w siłę.

A.G.: Ale kiedy już urośli, musieliście zdecydować, na którego postawić.

Fot. Piotr Liszkiewicz/East News

J.S.: Zdziwisz się. Postawiliśmy na obu, przy czym oni o tym nie wiedzieli. Najpierw wzięliśmy pod skrzydła Carringtona. Doprowadził nas do niego ojciec Pedra…

A.G.: Nie znam. Nie miałem przyjemności.

J.S.: Żałuj, bo Pedro wielu kojarzył się z przyjemnością. Rozrzucał prochy, choć nie tylko. To był taki niewielki, żylasty chłopak, ale bardzo waleczny. Potrafił powalić piąchą o wiele większych byków. Pamiętasz, była kiedyś giełda kwiatowo-warzywna we Włochach? To on tam rządził i twardą ręką trzymał za pysk handlarzy. Jak mój Bysio, czyli Dariusz B., dowiedział się o jego istnieniu, od razu go znalazł i wziął pod ochronę. Wtedy Pedro zaczął uprawiać dilerkę na bazarze. Handlarze kapustą brali od niego prochy i szły jak woda.

Jak już się z nim zakumplowałem, przyprowadził do nas swego ojca. Stary mieszkał w Zgorzelcu i od jakiegoś czasu robił interesy z Carringtonem. I to on zaproponował nam wzięcie pod skrzydła Zbigniewa M. Nie mieliśmy nic do stracenia, więc się zgodziliśmy.

Ale mniej więcej w tym samym czasie zadzwonił to mnie Nikodem S. „Nikoś" i powiedział, że ma w Zgorzelcu dobrego chłopaka. Wspomnianego Lelka. Ja mu na to, że właśnie postawiliśmy na Carringtona, a Nikoś: „A co to za problem? Lepiej grać na dwa fronty. Będziemy korzystać z usług obu gości, a jak się wezmą za łby, a wcześniej czy później się wezmą, zobaczymy, kto wygra". Jako że Lelek przyniósł nam w ślubnym wianie dobry hajs z tamtejszych burdeli, uznaliśmy, że doskonale nadaje się do drużyny.

A.G: To zgorzeleckie agencje towarzyskie cieszyły się aż takim powodzeniem?

J.S.: Olbrzymim. Korzystali z nich głównie Niemcy, którzy woleli zabawiać się ze Słowiankami niż ze swoimi Helgami. Oczywiście nic nie mam do Niemek, ale wydaje mi się, że u nas jednak łatwiej o atrakcyjne dziewczyny. W każdym razie interes kręcił się doskonale. Potem, jak zamknęli Lelka, władzę w jego grupie przejął Sebastian K. „Ryży". I muszę przyznać, że świetnie sobie radził jako następca. Kontynuował wojnę z grupą Carringtona.

A.G.: Czy to znaczy, że Lelek i Carrington, gdy tylko poczuli wsparcie Pruszkowa, od razu wzięli się za łby?

J.S.: Natychmiast. Zyski z przestępczości nad Odrą były zbyt wysokie, żeby bawić się w dyplomację.

A.G.: Gangsterzy z obu formacji zapewniali, że nie było żadnej wojny i że wymyśliły ją media…

J.S.: Jasne, a Lelek pewnie dostał zarzut zlecenia zabójstwa Carringtona na podstawie bajek Andersena? Polowali na siebie i byli naprawdę gotowi na wszystko. Wspominałem ci o ojcu Pedra, który skontaktował nas z Carringtonem. Na własne oczy widziałem jego samochód podziurawiony kulami przez ludzi Lelka. Facet zapytał nas, czy jego chłopaki mogą zrobić odwyrtkę, czyli zrewanżować się Jackowi B. Zgodziliśmy się, zresztą odwet nastąpiłby i bez tego. Tam ludzie ginęli nie tylko pojedynczo; czasami odpalano po kilku naraz. Carrington też próbował – najpierw zabić Lelka, a potem Ryżego. Ten ostatni był naprawdę blisko śmierci. W lipcu 1998 roku kiler oddał do niego serię pod hotelem Baron w Jeleniej Górze. Kula przebiła płuco, ale przeżył. Wcześniej Lelek dostał kilka pestek od ludzi Carringtona. Pamiętam, jak wielkim szokiem było znalezienie w miejscowości Modrzew zwłok czterech gangsterów zamieszanych w porwanie Dariusza P., pseudonim Płomyk, człowieka Lelka. Nie muszę chyba tłumaczyć, komu zależało na ich śmierci? To była egzekucja, podobna do tej, która miała miejsce w warszawskiej Gamie 31 marca 1999 roku. Wtedy, gdy zginęło pięciu gangsterów z Wołomina, w tym dwaj bossowie: Marian K. i Ludwik A.

A.G.: Czytałem kiedyś o świadku w procesie Lelka, który przed sądem wycofał zeznania. A były naprawdę dużego kalibru: uprowadzono go z hurtowni w Jeleniej Górze, torturowano przez kilka dni, rzekomo wbijano mu gwoździe w kolana i cięto nożem. Tyle że potem stwierdził, że wymusiło je na nim Centralne Biuro Śledcze, żeby można było postawić zarzuty Jackowi B. Co więcej, na korzyść Lelka zeznawał także brat Carringtona Ryszard M., pseudonim Azja, który zapewnił, że obaj panowie byli dobrymi kolegami.

J.S.: Tak zwana wojna zgorzelecka nie była wymysłem mediów – krew lała się hektolitrami, ludzie przepadali znienacka, a potem znajdowano ich ciała. Wszystko to działo się w stosunkowo krótkim czasie, od maja do września 1998 roku. A to, że w drugiej połowie lat 90. świadkowie wycofywali zeznania, było niemal standardem. Ludzie się bali, najpierw Lelka, a potem Ryżego; ten drugi był naprawdę ostrym chłopakiem, a jego ekipa wzbudzała strach od Sudetów po Szczecin. Ryżego wspominam z pewnym sentymentem – choć dziś, oczywiście, oceniam go krytycznie – bo doskonale sobie radził z haraczowaniem lokali, w których stały automaty do gry. A to była duża część moich zysków.

A.G.: Czy w końcu postawiliście na jednego konia?

J.S.: Tak. Carrington dostał jasny przekaz: ma się nie wpierdalać Lelkowi i Ryżemu w paradę, bo od teraz to Jacek B. i Sebastian K. są naszymi oficjalnymi przedstawicielami na miejscu. Jakiś czas później Zbigniew M. podczas rowerowej przejażdżki dostał młotkiem w głowę – to jedna z wersji, bo jakoś trudno mi uwierzyć, że po prostu spadł z roweru i uderzył głową o chodnik – i stracił kontakt z rzeczywistością. Przeżył, ale zachowywał się, jakby nic z tego świata nie kumał. Podobno miał rozległe obrażenia mózgu. Być może ten młotek uratował go przed odpowiedzialnością karną za wszystkie te psoty, których się dopuścił. A Lelek i Ryży poszli do puszki i tak skończyła się ich kariera.

* * *

Wprawdzie największe kokosy mafiosi zbierali na zachodzie kraju, ale kąsek nie do pogardzenia stanowił również wschód. Zwłaszcza większe miasta, z Olsztynem na czele, w którym przestępczość zorganizowana miała się dobrze jeszcze za PRL-u. Gdy na Mazowszu krzepła grupa pruszkowska, w największym mieście Warmii i Mazur szacunkiem szemranych środowisk cieszył się gangster o pseudonimie Gruby Jarek. Trzymał silną ręką swoich bandziorów i toczył wojny z innymi watażkami, między innymi z niejakim Johnym czy grupą braci R., Dariusza i Krzysztofa. Na tamtejszej scenie przestępczej nie było dominatora, zatem potencjalni kandydaci na to stanowisko nieustannie skakali sobie do gardeł. Funkcjonował tam również niebezpieczny „samotny wilk" o pseudonimie Bocian, który wziął na cel braci R. i w końcu jednego z nich, Dariusza (boksera), wysłał do krainy wiecznych łowów. Dzięki temu – choć stało się to dopiero po jakimś czasie – wstąpił w szeregi grupy Marka Cz. „Rympałka". Obawiając się policji oraz zemsty brata pozostałego przy życiu, po prostu uciekł do Warszawy, gdzie zwąchał się z Rympałkiem.

Oto jak po latach wydarzenia te relacjonowała „Gazeta Olsztyńska":

„Ostatnie godziny życia Dariusza R. są znane niemal co do minuty. Około 19.30, m.in. z Alfredem K., wtedy »bankierem« przestępczego światka, brał udział w treningu w sali Budowlanych przy ulicy Grunwaldzkiej. Był przeziębiony, więc się oszczędzał. Potem pojechał na Dajtki, gdzie Alfred K. miał odebrać poloneza stanowiącego zastaw za szybką pożyczkę udzieloną właścicielowi znajdującej się przy ulicy Kłosowej agencji towarzyskiej. Wracając swoim mercedesem na Jaroty, Dariusz R. wysadził jeszcze jednego kolegę-boksera. Pod swój blok na Kanta podjechał sam.

Jego towarzysze zeznawali potem, że niczego nie podejrzewał, chociaż po namyśle zwrócili uwagę, że wspominał coś m.in. o kręcącym się za nim mercedesie 500 na warszawskich numerach. Oni sami mówili o innym aucie o numerach zaczynających się na WX... czy polonezie na numerach gdańskich".

Olsztyn zainteresował Pruszków już na początku lat 90. Skoro o miasto toczą się krwawe boje, najwyraźniej warto przejąć nad nim kontrolę. Na Mazury udał się Dariusz B. „Bysio", na spotkanie z Grubym Jarkiem, by zaproponować mu etat przedstawiciela Pruszkowa na region. Propozycja została przyjęta i gangster zabrał się do pracy. W sprawnym przejmowaniu bandyckich interesów nie przeszkodził mu nawet wypadek samochodowy, po którym wylądował na wózku inwalidzkim.

Po jakimś czasie, konkretnie w 1993 roku, Olsztynem zainteresował się także Rympałek, przed którym Bocian roztoczył wspaniałą wizję szybkiego i łatwego zbicia fortuny. Jako że Marek Cz. wywodził się z tej samej rodziny co Masa czy Bysio, kontrola nad miastem stała się jeszcze bardziej skuteczna. A rzeczywiście było o co grać – pieniądze w Olsztynie zarabiało się nadzwyczaj łatwo, zwłaszcza na kokainie, która szła tam jak woda.

Jednak co jakiś czas olsztyńscy gangsterzy znajdujący się poza pruszkowską jurysdykcją podnosili głowy. Nie zamierzali oddawać podwarszawskim gangsterom pełni władzy i nękali rezydenta. Ba, buntowali się także ludzie bezpośrednio podlegający Grubemu Jarkowi. W pewnym momencie niewielki odłam jego grupy, któremu przewodził wspomniany Johny, wymówił posłuszeństwo.

Cóż było robić? Pruszków wysłał odsiecz, która zawsze sprawdzała się w sytuacjach ekstremalnych – Masę i ekipę Marcina B. „Bryndziaka".

Do spotkania Johny'ego z pruszkowskimi doszło w jednej z modnych olsztyńskich dyskotek. Zaczęło się od rozmowy, ale skończyło na prawdziwej jatce. Bryndziaki krwawo oprawiały rebeliantów, których lider wystartował do Masy. Po latach ten ostatni tak wspomina tamto zdarzenie: „Złapałem go za łeb i pierdolnąłem o bufet. Wybił mordą dwie deski".

Bunt grupy Johny'ego został stłumiony w jedną noc.

ROZDZIAŁ 8

Western

We wrześniu 2009 roku nagłówki poznańskich gazet krzyczały: „Bogdan D., znany pod pseudonimem Dreks, jeden z legendarnych bossów poznańskiego półświatka, został zatrzymany!”. Zarzucono mu, między innymi, że pod przykrywką nocnych klubów prowadził na Grunwaldzie luksusowe agencje towarzyskie dla zamożnych klientów.

W artykule zamieszczonym na portalu Gazeta.pl znalazł się opis jednego z przybytków Dreksa:

„Jeden z klubów na swojej stronie internetowej w trzech językach chwali się apartamentami z jacuzzi, strzeżonym parkingiem i ustronną lokalizacją. Honoruje karty płatnicze, a w zakładce »Dla firm« można przeczytać, że dla grupowych delegacji dopuszcza negocjacje cen i wystawia faktury VAT. Policjanci nie mają jednak wątpliwości, że w nocnym klubie na Grunwaldzie działała w rzeczywistości luksusowa agencja towarzyska, a striptiz i bar z drinkami były tylko przykrywką. – Z usług prostytutek korzystali tutaj goście poznańskich targów, biznesmeni, ludzie, których nazwiska przewijają się w gazetach. Niektórzy potrafili w trakcie jednej nocy zostawić tam 20 tys. zł – mówi »Gazecie« jeden z policjantów”.

To, że kierowany przez Dreksa przybytek nie koncentrował się na seansach medytacyjnych, było oczywiste nie tylko dla policji. A jednak przez długi czas władze przymykały na ten proceder oko. Być może czekały na niezbite dowody przestępczej działalności organizatora nocnej rozrywki? Bogdan D. był jednak szczwanym lisem i doskonale wiedział, jak poruszać się na styku biznesu i sfery kryminalnej. Ponoć podczas wcześniejszej odsiadki naczytał się książek o włoskiej mafii, a zdobytą w ten sposób wiedzę postanowił wcielić w życie we własnej grupie. Znając przysłowie „Jak cię widzą, tak cię piszą", zawsze dbał o doskonałą prezencję, elegancko się ubierał, a na biznesowe spotkania jeździł ulubionym bmw. Nierzadko obracał się w kręgach odległych od gangsterki, zjednując sobie rozmówców elokwencją. Trzeba było wytrawnego policyjnego oka, żeby za tą nienaganną fasadą dostrzec przebiegłego bandytę.

W 2013 roku ruszył wielki proces zorganizowanej grupy sutenerów (w tym kilkudziesięciu taksówkarzy). Bogdan D. jest jednym z oskarżonych i grozi mu długoletnie więzienie. A przecież klienci tak bardzo chwalili sobie usługi jego firmy!

Poziom nocnych klubów doceniali także pruszkowscy gangsterzy. Prowadząc interesy na zachodzie kraju, często pojawiali się w należących do D. poznańskich lokalach i spędzali w nich długie, miłe godziny.

Jedną z takich wizyt Sławomir K. „Chińczyk" zapamięta do końca życia.

Sławomir K.: Z Poznaniem zawsze robiliśmy jakieś interesy. Zdarzało się, że jeździliśmy do Wielkopolski nawet co drugi dzień. Narkotyki, samochody, wyłudzenia podatku VAT na zachodniej granicy... To poznańscy wymyślili przekręt z papierosami sprzedawanymi Niemcom na statkach pływających po Odrze (patrz *Masa o pieniądzach polskiej mafii* – przyp. A.G.), a Pruszków nieźle na tym skorzystał. Znacznie lepiej niż miejscowe chłopaki. W drodze do Poznania często zahaczaliśmy o Leszno, gdzie pracowała dla nas lokalna grupa przewalaczy. Specjalizowali się w załatwianiu luksusowych samochodów, tyle że wyłącznie na papierze. Albo raczej w teorii. W tamtym czasie chętnych na wypasione mercedesy czy bumy było naprawdę wielu, a żądza posiadania limuzyny przesłaniała ludziom rozum. Brało się takiego frajera na stronę, pokazywało się zdjęcie jakiejś S-klasy, a on już robił w portki ze szczęścia. Wystarczyło mu powiedzieć, że autko właśnie wjeżdża do Polski i trzeba zapłacić jakąś symboliczną zaliczkę, powiedzmy połowę, a gość już wyskakiwał z kapuchy. I jeszcze chciał po łapach ze szczęścia całować! Zdarzali się też i tacy, którzy płacili od ręki całość. Żeby tylko poczuć się od razu właścicielami autka.

Bądźmy szczerzy – potęga polskiej mafii została zbudowana w dużej mierze na naiwności i zachłanności ludzi o średnich przychodach. Bo najbogatsi kupowali z pewnych źródeł. A tacy aspirujący musieli szukać szczęścia w szemranych kręgach. I wielu z nich mocno się poparzyło. Może to i dobrze?

Pewnego pięknego dnia pojawiliśmy się w Poznaniu, żeby pogadać o interesach ze związanymi z Dreksem Łysym Damianem i Markiem F. „Westernem". To były legendy tamtejszego półświatka i ludzie, z którymi naprawdę dobrze się współpracowało.

Często pada pytanie, skąd ksywka Western. Wystarczyło spojrzeć na gościa i wszystko było jasne: ubrany w kowbojski kapelusz, wysokie buty z czubem i skórzaną kamizelkę wyglądał może nie jak Gary Cooper w filmie *W samo południe*, ale co najmniej jak stały bywalec festiwali country w Mrągowie. Inna sprawa, że pewne filmowe obyczaje przeniósł na ulice Poznania...

Ale nam jego ostrość pasowała.

Wiadomo, że takie rozmowy najlepiej toczą się przy flaszce czegoś mocniejszego, w atmosferze spokoju i nienachalnego erotyzmu.

Dlatego burdele D. nadawały się do tego doskonale.

Przyjechaliśmy niewielką, ale mocną ekipą: ja, Dariusz B. „Bysio", Mariusz S. „Szlachet" i Grzesiek D. Ten ostatni nie do końca do nas pasował, ale ceniliśmy go za entuzjazm mafijnego nuworysza. Kilka miesięcy wcześniej skaptowałem go do grupy – studenta, który dzielił czas między bibliotekę a siłownię. Dlatego i doskonale wyglądał, i mądrze gadał. Tacy w grupie też byli potrzebni. Aha, dorabiał sobie na taksówce, ale chyba kokosów nie zbijał, bo kiedy mu zaproponowałem robotę w gangu, zgodził się od razu.

Wizyta w agencji D. to było zawsze duże przeżycie estetyczne. Inaczej niż w warszawskich burdelach, gdzie panował syf w każdym możliwym sensie. Poznański lokal przypominał pałac. W wielkiej willi, otoczonej wysokim murem, znajdował się elegancki salon, w nim świetnie wyposażony barek oraz pokoje intymne. Jak z katalogu pięciogwiazdkowych hoteli. Na górze było coś w rodzaju zaplecza rekreacyjnego z jacuzzi, gdzie chętni relaksowali się z atrakcyjnymi paniami i butelką szampana. Wszystko pięknie, wszystko prima sort.

Trudno się dziwić, że te nocne kluby były nieustannie oblężone przez zagranicznych biznesmenów, którzy przyjeżdżali na poznańskie targi i nie zadowalali się byle czym. A nawet jeśli ktoś nie był zainteresowany dymaniem, mógł tam

Fot. Adam Jagielak/Super Express/East News

przenocować w superwygodnym łóżku, a rano zjeść pyszną jajecznicę, zrobioną przez śliczną kurewkę. Czy może być coś przyjemniejszego?

Przyjechaliśmy, zamówiliśmy kilka butelek whisky i zaczęliśmy biesiadę. Po chwili dołączyło do nas kilku chłopaków od Łysego i Westerna, ale oni sami mieli pojawić się dopiero za jakiś czas.

Butelki schły w szybkim tempie, a nam gadało się doskonale.

Tyle że w pewnym momencie do burdelu przyjechało kilku poznańskich gangsterów, z którymi nie łączyły nas przyjazne relacje. Jak się później okazało, był to niejaki Siekiera z bratem i kilkoma żołnierzykami. Już mocno wstawieni i nawąchani, więc ich zachowanie trochę kontrastowało ze spokojem, jaki panował do czasu ich przybycia.

Przywitali się z nami, ale widać było, że nie mają przyjaznych zamiarów. Zaczęli rzucać w naszą stronę jakieś obelgi. Co chwila słyszałem tekst: „Przyjechały cieniasy z Pruszkowa, trzeba im pokazać miejsce w szeregu". Szukali guza, bez dwóch zdań.

Nasi poznaniacy mrugali porozumiewawczo, dając do zrozumienia, że są sercem z nami, ale nie ma co podejmować rękawicy. Goście są nabuzowani i pewnie zaraz urwie im się film.

Film się nie urywał, a docinki stawały się coraz bardziej wkurwiające.

Z każdą chwilą rosła we mnie złość, ale dopóki wszystko ograniczało się do słów, siedziałem na tyłku i popijałem wódkę.

Jednak w pewnej chwili podszedł do mnie Siekiera, nalał sobie wódki z naszej butelki i wypił. Tego już było za wiele – nikt go nie zapraszał, nikt nie miał ochoty się z nim bratać.

Sieknąłem mu pięścią w ryja i facet poleciał na ziemię. Zaczął się łomot.

Rzuciliśmy się na ludzi Siekiery i skatowaliśmy ich tak, jak na to zasługiwali. A wtedy biło się konkretnie – do krwi i nieprzytomności. Ostatecznie oprawienie niesfornych gości miało charakter wychowawczy – żeby więcej nie popełniali głupich faux pas. Wywlekliśmy ich z willi i porzuciliśmy w trawie. Za jakiś czas zniknęli; prawdopodobnie przyjechał po nich taksówkarz i zawiózł na ostry dyżur.

A wtedy lider naszej wyprawy, czyli Bysio, jak przystało na mafijnego bossa, zaczął lamentować: „Co myśmy najlepszego zrobili? Zaraz przyjedzie ekipa i wyśle nas do piachu, olaboga!". Usiadł na progu willi. Chciał mieć pewność, że zobaczy mścicieli i uda mu się uciec. Namawiał nas, żebyśmy jak najszybciej wyjechali z Poznania i więcej nie wracali.

Stałem twardo na stanowisku, że skoro przyjechaliśmy pogadać z Łysym i Westernem, to powinniśmy na nich zaczekać.

Masa, do którego zadzwoniłem w tej sprawie, uznał, że mam rację.

Faktycznie, obaj znani gangsterzy pojawili się wkrótce.

Opowiedzieliśmy im o zajściu. Łysy kiwał głową z aprobatą, natomiast Western zachowywał się dziwnie. Niby wprost nie potępił tego, co zrobiliśmy z Siekierą i jego ludźmi, ale czuć było, że mu to nie pasuje. A przynajmniej nie wie, jakie zająć stanowisko. Wtedy myślałem, że zachowuje się tak, bo trochę za dużo się napił i nawąchał, ale chyba chodziło nie tylko o to.

Jak już pogadaliśmy i o innych sprawach, Łysy się zawinął, a ja z Westernem poszliśmy na górę, do jacuzzi. Zamówiliśmy sobie panie do towarzystwa, jakiś zacny trunek i wskoczyliśmy do spienionej wody. Przypominam: Bysio przez cały czas warował na progu. Powiedzmy, że się opalał.

Po godzinie opuściłem jacuzzi, zostawiając Westerna. Zszedłem na dół do barku, lecz gdy przyrządzałem sobie drinka, stało się coś nieoczekiwanego – kątem oka dostrzegłem, że Szlachet rzuca się na kogoś i wali go pięścią w twarz. O co, kurwa, chodzi? Otóż nagi, ociekający wodą Western przybiegł za mną, by mnie zasztyletować! Chyba w odwecie za upokorzenie Siekiery… Nigdy się tego nie dowiedziałem. Być może biały proszek poprzestawiał mu coś w głowie i wywołał takie, a nie inne zachowanie?

Szamotanina między Westernem a Szlachetem nie trwała długo; mój kompan wyszarpnął nóż z ręki poznańskiego bandyty i wbił mu go w kichy. Western upadł na podłogę i zalał się krwią. Miał, skubany, dużo szczęścia – ostrze przeszło kilka milimetrów od aorty. Dlatego przeżył i za jakiś czas powrócił do tego, w czym sprawdzał się najlepiej – do przestępczości. Ale na razie jego życie wisiało na włosku.

Ktoś zadzwonił po pogotowie, a my natychmiast daliśmy nogę, bo zapachniało spotkaniem z psiarnią.

W drodze do domu Bysio cały czas powtarzał, że do Poznania nie mamy już po co wracać. Argumentowałem, że nic takiego się nie stało, a nawet byłoby dobrze, gdybyśmy wrócili i wyjaśnili, o co chodziło i Siekierze, i Westernowi. Bo przecież omal nie straciłem życia w zupełnie dla mnie niezrozumiałych okolicznościach.

Za jego uratowanie jestem wdzięczny Mariuszowi S. do dziś.

Ale rzeczywiście, do Poznania przestałem jeździć…

ROZDZIAŁ 9

Wojna z Dziadem

Tak naprawdę wojnę pruszkowsko-wołomińską wymyśliły media. Obraz tego konfliktu, wykreowanego przez dziennikarzy (w pewnym stopniu wspólnie z organami ścigania), był tak sugestywny, że natychmiast zaczął krążyć w społeczeństwie jako wersja niepodważalna. Już klasyk propagandy twierdził, iż „kłamstwo powtórzone tysiąc razy...". Tym bardziej że wojny mafijne, z punktu widzenia mediów czy literatury i filmu, bywają niezwykle atrakcyjne. Kim byłby Al Capone, gdyby nie konflikt z irlandzkimi gangsterami O'Baniona? Kim byłby Asłan Usojan, znany jako Hassan Dziad, jeden z liderów przestępczych struktur w byłym ZSRR, gdyby nie porachunki z Tarielem Onianim, watażką z Kaukazu?

Ot, zwykli przestępcy, którzy zarabiają na ciemnych interesach i starają nikomu nie rzucać się w oczy.

Ale mafijna wojna, na której giną ludzie, a śmierć zapowiadają przerażające rytuały i nigdy nie wiadomo, kto zginie następny, to już zupełnie coś innego. To krew, honor, poświęcenie i zdrada.

Trudno powiedzieć, kto pierwszy wpadł na pomysł przeciwstawienia Pruszkowowi Wołomina. Wiadomo natomiast, że wykreowany konflikt doskonale wpisał się w społeczne oczekiwania.

Opinia publiczna nie miała pojęcia, że przez długie lata gangsterzy po jednej i drugiej stronie Wisły blisko ze sobą współpracowali, ba, przyjaźnili się nawet i dawali odpór wspólnym wrogom. Skąd zatem wzięła się teoria o wojnie? Po kolei...

Zażyłość liderów Wołomina, czyli Mariana K. „Mańka" (określanego niekiedy jako Stary Klepak) oraz Ludwika A. „Lutka", z pruszkowskim zarządem sięgała lat 70. i wspólnych interesów na warszawskim bazarze Różyckiego. Oczywiście, nie brakowało też wspólnych odsiadek; to w PRL-owskich więzieniach sprawdzały się przyjaźnie i sojusze, które później krzepły w ramach przestępczości zorganizowanej. Mówiąc krótko, bossowie Pruszkowa byli dobrymi kolegami gangsterów z Wołomina i nigdy nie dochodziło między nimi do poważniejszych zatargów.

Natomiast w mediach regularnie pojawiały się spekulacje, jakoby Wołomin był częścią Pruszkowa, strukturą, która miała „trzymać za mordę" prawobrzeżną Warszawę i tak zwaną Polskę B, podczas gdy pruszkowscy rządzili na lewym brzegu Wisły i w zachodniej części kraju. Tyle że to pogląd fałszywy.

W rzeczywistości władza Wołomina ograniczała się wyłącznie do samego miasta i jego najbliższej okolicy; wpływy sięgały mniej więcej Wyszkowa. Jeżeli Maniek z Lutkiem robili jakiekolwiek interesy na skalę krajową, to tylko tam, gdzie Pruszków nie zamierzał wchodzić z powodu braku perspektyw. Na przykład na Podlasiu, gdzie potencjalne zyski wydawały się nieporównanie mniejsze niż na ziemiach zachodnich.

Masa określił to następująco: gdyby Polskę porównać do zegarowej tarczy, tereny, na których liczył się Wołomin, znajdowały się między dwunastą a drugą. Oczywiście w kierunku zgodnym z ruchem wskazówek... Trochę wpływów obejmował wycinek pomiędzy czwartą a szóstą, ale niemal wyłącznie przy granicy. Na przełomie lat 80. i 90. dobre pieniądze można było zarobić w Medyce. Wołomin (notabene wspierany przez Pruszków) miał tam swoich celników, którzy za odpowiednią opłatą przepuszczali bez kolejki tiry. A trzeba pamiętać, że wówczas na granicy czekało się nawet kilka dni, więc zainteresowanie szybszym odprawianiem było ogromne. Zyski dla organizatorów procederu – również.

Owszem, Maniek i Lutek czy Janusz K. „Malarz" (gangster rodem z Piastowa, twórca grupy, która przekształciła się w tzw. formację Mutantów) wchodzili w różne biznesy na zachodzie Polski, między innymi w handel spirytusem, ale robili to niejako na własny rachunek. Wołomin jako struktura trzymał się wyznaczonych ram geograficznych i w niczym Pruszkowowi nie przeszkadzał.

I zapewne „wojna gangów" nikomu nie przyszłaby do głowy, gdyby na mapie Mazowsza, na prawym brzegu Wisły, nie istniało małe miasteczko o wdzięcznej nazwie Ząbki. Należące do Dziada, a mimo to bardzo ostre…

A.G.: Ustalmy raz na zawsze: poszliście na wojnę z Henrykiem N. „Dziadem" z Ząbek, a nie z całym Wołominem.

J.S.: Dokładnie tak. Przy czym nawet nam się zdarzało mówić o nim „ten Dziad z Wołomina", choć mieszkał kilkanaście kilometrów dalej. Być może stąd to nieporozumienie?

Z Mańkiem czy Lutkiem lubiliśmy się, bo – w przeciwieństwie choćby do Dziada czy do jego brata Wieśka N. „Wariata" – to były naprawdę fajne chłopaki. Prawdę mówiąc, mieli większą klasę niż niektórzy nasi starzy.

A.G.: A jak to się stało, że taki samotny kowboj z małych Ząbek skutecznie przeciwstawiał się potędze Pruszkowa?

J.S.: Przeciwstawiał? Ja uważam, że był agresywnym prowodyrem konfliktu, tyle że wybrał sobie niewłaściwego wroga. I bardzo się na tym poparzył.

Ale zacznijmy od początku. Często słyszę, że Dziad już na początku lat 90. był potężnym gangsterem, dysponującym całą armią najostrzejszych chłopaków. To bzdura. Na początku dekady to był mały śmieciarz, z którym mało kto się liczył. Nawet w Wołominie nie miał wielkiego poważania; Maniek i Lutek przerastali go o głowę pod każdym względem. I na pewno mieli za sobą znacznie silniejszą strukturę bandycką niż Henio. Gdyby Dziad nie miał brata, Wieśka, nigdy nie zrobiłby takiej kariery.

A.G.: Podobno to Wariat rządził ząbkowskim gangiem.

J.S.: I tak, i nie. Rządzili obaj. Początkowo wspólnie, potem oddzielnie, ale do tego jeszcze dojdziemy. Chcę tylko powiedzieć, że Wiesiek naprawdę zasłużył na swoją ksywkę – był Wariatem, dla którego skrzywdzenie bliźniego nie stanowiło żadnego problemu. A nawet było przyjemnością. Kiedy więc zaczęła się wojna Pruszkowa z Ząbkami, Wiesiek nierzadko dawał nam się we znaki bardziej niż Henryk.

A.G.: A o co poszło?

J.S.: O hajs, to oczywiste. Na samym początku lat 90. nic nie zapowiadało burzy – robiliśmy z Dziadem interesy i mogę

Fot. Piotr Grzybowski/Super Express/East News

stwierdzić, że wiązała nas silna nić sympatii. Miał dużo forsy, więc kiedy przywoziliśmy mu jakiś towar, płacił bez szemrania i ociągania się. Często służył nam swoimi dziuplami i pomagał upłynniać to, co zawinęliśmy. Owszem, czasem dochodziło do spięć, ale wtedy robiło się rozkminki i przyklepywaliśmy sprawę. Dość często brałem udział w tego typu negocjacjach. Po drugiej stronie stołu siadał niejaki Suchy, charakterny chłopak, którego wyjątkowo ceniłem. Powiem więcej: zdarzało mi się robić interesy z Dziadowymi złodziejami, chociaż wiedziałem, że to chodzenie po cienkiej linie.

Współpraca wyglądała bardzo dobrze, ale do czasu.

Pewnego razu zawinęliśmy dwa tiry ze spirytusem i daliśmy Dziadowi znać, że jedziemy na jego dziuplę. Mieściła się na drodze wylotowej z Warszawy, na samym skraju Bródna. Ruszyliśmy mocną ekipą, w skład której, oprócz kierowców tirów, wchodzili: ja, Kiełbacha, Słowik, Oczko, Bolo, stary Dreszcz i jeszcze kilku chłopaków. Generalnie same pruszkowskie tuzy. I trudno się dziwić, bo z tych tirów miało być naprawdę w chuj kapusty! A my byliśmy głodni…

Jechaliśmy do dziupli z przygodami. Kiełbacha, który prowadził jeden z samochodów, zgubił drogę i przez dłuższy czas krążył po wąskich uliczkach Zacisza, wkurwiając, naturalnie, pasażerów drugiego auta. Doszło nawet do ostrej wymiany zdań między nim a Dreszczem. W efekcie Wojtek i ja zostawiliśmy ekipę i wróciliśmy do Pruszkowa, Słowik i Oczko zostali przy tirach, a pozostali pojechali do Dziada po kesz.

A.G.: Nie lepiej było zrobić to po cichu, bez udziału tak licznej reprezentacji zarządu?

J.S.: W tamtych czasach dwa tiry to był naprawdę gruby deal i wszyscy chcieli go mieć pod kontrolą. Wtedy często lataliśmy wspólnie.

A.G.: A zatem Słowik i Oczko pilnują rozładunku, a starzy negocjują z Dziadem honorarium. To w czym był problem? Dziad nie godził się na żądaną sumę?

J.S.: Suma nie stanowiła kwestii spornej. Pieniądze miały wpłynąć następnego dnia. Ale pojawił się mały kłopot – dziupla była obserwowana przez gliniarzy i podczas rozładunku wkroczyli antyterroryści. Wszyscy, łącznie ze Słowikiem i Oczką, zostali zatrzymani na gorącym uczynku. A Słowik był wówczas poszukiwany listem gończym. Obaj trafili na dołek. Dziad, jak się o tym dowiedział, odmówił zapłaty. Powiedział, że przyciągnęliśmy za sobą ogon i nie dość że tiry poszły się jebać, to jeszcze spaliliśmy mu dziuplę. Czyli że niby był stratny.

A.G.: A nie był?

J.S.: Wszyscy byli, ale nie z naszej winy. Podejrzewam, że psy już od dawna wiedziały o tej dziupli i tylko czekały na okazję, żeby wkroczyć. Tak naprawdę to nieostrożność Dziadowych mogła nas wszystkich wiele kosztować. Ostatecznie dzięki temu, że Kiełbacha pomylił drogę i kluczył, mieliśmy pewność, że nikt za nami nie jechał.

W każdym razie jak powiedział, że nie zapłaci, to usłyszał, że ma przestać pierdolić i wyskakiwać z siana. A miał do zapłacenia dwieście koła papy, czyli nie w kij dmuchał. Mówimy mu: „Ręka była klepnięta, więc nie wal głupa, tylko wyskakuj z forsy".

A.G.: Tym bardziej że dwóch waszych czołowych zawodników – Słowik i Oczko – straciło możliwość nieskrępowanego funkcjonowania...

J.S.: Dokładnie. Na szczęście czasy były trochę inne i wyciągnięcie naszych chłopaków z puszki nie stanowiło jakiegoś wielkiego wyzwania. Zresztą trafili na dołek na czterdzieści osiem godzin bez dokumentów. No bo z reguły na takie akcje jak ukrywanie tirów zabiera się jak najmniej dowodów tożsamości. Oczywiście Słowik przedstawił się, ale podał jakieś lipne dane, a policjanci tego nie sprawdzili. Mają winnego za kratami, to co ich obchodzi nazwisko? Do uwolnienia obu naszych trochę przyłożył się Dziad, bo wraz z Dreszczem pojechał do znajomego policjanta, który mógł pomóc. Ustaliliśmy, że do rozliczeń finansowych jeszcze wrócimy, ale na razie musimy wydobyć chłopaków z opresji. Policjanci, którzy mieli pieczę nad Słowikiem i Oczką, dostali jakieś blaty, zresztą w śmiesznej wysokości, i wypuścili naszych kumpli, nie mając pojęcia, komu zwracają wolność! Gdyby wiedzieli, jakie asy trzymają pod kluczem, nie daliby się tak łatwo zblatować. Na marginesie: po tym przykrym wydarzeniu, w 1994 roku, Andrzej Z. wystarał się o ułaskawienie przez prezydenta. Ile go to kosztowało i kto na tym najwięcej skorzystał, pozostanie tajemnicą. Słowika i tych, którzy wzięli łapówę.

A.G.: A wracając do konfliktu z Dziadem… Nie przeszła wam na niego złość po tym, jak pomógł wydobyć Słowika i Oczkę?

J.S.: To przecież była normalka. Tym bardziej że gdyby gliniarze przycisnęli Słowika, zacząłby śpiewać trele także na Dziada. Wszystkim się opłacało – no, może z wyjątkiem wymiaru sprawiedliwości – aby Andrzej Z. i Marek M. wyszli z puszki.

Natomiast nasze relacje z Henrykiem N. psuły się z godziny na godzinę. Zaczęliśmy obrzucać się chujami i kurwami, a wrogość między nami szybko sięgnęła zenitu. Starzy nałożyli na Dziada karę, sto pięćdziesiąt koła papieru. Jak odda, wszystko wraca do normy. Jak nie odda – wojna. A tak się akurat złożyło, że wrócił wówczas z Niemiec brat Henryka, Wiesiek, czyli Wariat. Odsiedział tam w chliwie jakiś czas (za posługiwanie się fałszywymi dokumentami i handel narkotykami), niewykluczone, że za sprawą Wańki. I był żądny zemsty.

A.G.: Dlaczego za sprawą Wańki?

J.S.: Było tajemnicą poliszynela, że Leszek D., czyli Wańka, został zawinięty wraz z Wariatem i pewnie zgodził się zasypać Niemcom kompana. Dlatego wrócił do kraju jako wolny człowiek, a Wariat, i jeszcze kilku innych, musiał swoje odpękać. Nic dziwnego, że chciał się mścić. Pewnego dnia pojechał na plac Leńskiego (dziś Hallera), gdzie mieszkał Wańka, zaczekał i ruszył w jego stronę. Wańka akurat szedł do kiosku po szlugi, a tu widzi przed sobą ponurą mordę Wieśka N. Zmartwiał. Wiedział, że Wariat nie przybył z dobrymi intencjami, ale szybko odzyskał rezon i zaczął walić głupa. Uśmiechnął się szeroko, rozłożył ręce i krzyknął: „Wiesiek, przyjacielu, się masz, kupę lat, miło cię widzieć!". N. zdębiał. Sądził pewnie, że Leszek D. zacznie uciekać albo zamieni się w obsraną galaretę, a ten tymczasem zachowuje się, jakby nic się nie stało! Nie wiedząc, co w takiej sytuacji robić, Wariat machnął ręką i poszedł sobie, Wańka natomiast zadzwonił do nas od razu, obawiając się, że za chwilę nastąpi ciąg dalszy. Najpierw na plac Leńskiego przyjechałem ja z Kiełbachą i Dreszczem, a potem pojawiła się mocna ekipa od Pershinga.

A.G.: Nieco inną interpretację tego zdarzenia przedstawia Henryk N. w swojej książce *Świat według Dziada*. „Brat czekał na Wańkę w hotelu z odbezpieczoną bronią (chodzi o hotel na placu

Leńskiego – przyp. A.G.). Jak mi opowiadano, pistolet wyraźnie sterczał pod kurtką i trudno było z bliska tego nie spostrzec. Wańka jak zwykle podjechał samochodem na parking, po czym wszedł do hotelu. Ponieważ brat nie widział Wańki od jedenastu lat, gdyż przebywał w Niemczech, nie rozpoznał go. Za to Wańka poznał brata i podszedł, żeby usiąść i porozmawiać. Brat nawet nie wiedział, z kim rozmawia. Zbył go zatem, mówiąc, że nie ma w tej chwili czasu, bo na kogoś czeka. Wańka zauważył, że brat ma pod kurtką broń, i momentalnie się zmył. Na parkingu wsiadł w swój samochód, ale zamiast do domu popędził do hotelu Polonia w Śródmieściu. Tam zawsze przebywała grupa pruszkowska. Brat czekał jeszcze chwilę, aż w końcu podeszli do niego chłopcy, którzy mieli mu pomóc w porwaniu. Dobrze znali Wańkę z widzenia, więc po jego odjeździe wbiegli do hotelu i zapytali brata, co się stało. Dlaczego go nie porwał? Kogo? Przecież ten, który się z nim witał, to był właśnie Wańka! Brat zbaraniał. Myślał, że Wańka całkiem inaczej wygląda". O czym świadczy wersja przedstawiona przez Dziada?

J.S.: Tylko i wyłącznie o tym, że nie za bardzo cenił brata. Po pierwsze, uczynił z niego albo sklerotyka, albo osobę nierozgarniętą. Bo nie wyobrażam sobie, aby Wariat nie poznał Wańki, nawet po długim okresie niewidzenia. No a po drugie, przyznał, że Wiesiek faktycznie zamierzał zrobić Wańce jakieś kuku. Czyli był groźnym bandytą, o czym zaświadczał nawet jego rodzony brat.

A.G.: Wróćmy zatem do twojej relacji. Powiedziałeś, że po spotkaniu obu panów na placu Leńskiego pojawiła mocna ekipa z Pruszkowa. Po co? Przecież rozeszło się po kościach. Poza tym wcale nie ma pewności, że Wariat rzeczywiście chciał uszkodzić Wańkę. Może to było zupełnie przypadkowe spotkanie? A może N. chciał jedynie werbalnie wyrazić swój żal?

J.S.: Środowisko przestępcze Warszawy i okolic było w tamtym czasie dość małe i wiadomości rozchodziły się szybko. Wiadomo było, kto z kim gra i przeciw komu. O tym, że Wariat chce ostro pojechać z Wańką, wiedzieli wszyscy, tym bardziej że Wiesiek chlapał na lewo i prawo, co zrobi z Leszkiem i jego kompanami, czyli z nami. Była wojna, a na wojnie się strzela. Zresztą my też nie ukrywaliśmy, że Wariat z Dziadem są do zawinięcia. Dlatego Wiesiek szybko przestał krążyć po mieście w pojedynkę i cały czas otaczał się mocną ekipą. Natomiast jego brat, Heniek, okopał się w Ząbkach i czekał na rozwój wypadków. W tym czasie przeszło do niego kilkunastu chłopaków, których pogoniliśmy z Pruszkowa; stali się wiernymi pretorianami Dziada. Trafiali do niego także ci, których kiedyś pobiliśmy albo okradliśmy. Armia skrzywdzonych przez Pruszków była spora. Tak więc dojechanie Heńka nie było zwykłym hop siup z pizdy na żyrandol – jak to się u nas mówiło – ale naprawdę trudnym zadaniem.

Walcząc z Dziadem, uderzaliśmy także w tych gangsterów, którzy się przy nim kręcili i robili interesy z braćmi N., choć nie wchodzili do ich struktury. Do takich sympatyków Dziada należeli Andrzej Cz. „Kikir" (zginął tragicznie z rąk swoich kompanów) oraz Andrzej P. „Salaput". Niby kolegowali się głównie z bossami Wołomina, Mańkiem i Lutkiem, ale nie mieli oporów przed zażyłością z Dziadem i Wariatem.

Wiedzieliśmy, że dobrze przyciśnięci opowiedzą nam trochę o planach biznesowych Henryka N. Pewnego dnia dostaliśmy cynk, że popijają w barze przy drodze na Wołomin. Zajechaliśmy tam sporą ekipą i wywlekliśmy Andrzejów z lokalu. Wiedzieli, że zapowiada się kilka nieprzyjemnych godzin, więc próbowali się stawiać, ale seria plomb w ryj uśmierzyła ich kozackie zapędy. Na ciąg dalszy rozmowy zawieźliśmy ich do lasku w okolicach praskiego Zacisza. Tam dostali taki łomot, że aż żal było na nich patrzeć – wszędzie krew, zapuchnięte mordy, podarte ubrania. Kikir okazał się bardziej zdeterminowany od kompana i w pewnej chwili dał w długą. Nie goniliśmy go jakoś zawzięcie, bo przecież i tak mieliśmy w swoich rękach Salaputa. Zaczęliśmy oprawiać go ze wzmożoną intensywnością. Facet dostawał i za siebie, i za sprintera Kikira. To były wyjątkowo trudne godziny w życiu Andrzeja P., ale efekt był taki, że wyśpiewał nam dosłownie wszystko na temat Heńka: co robi, w jakie interesy zamierza wejść, kogo chce skrzywdzić. Dzięki temu mogliśmy przedsięwziąć kroki zapobiegawcze. A Salaput wrócił do domu, tyle że mam wątpliwości, że ktokolwiek go tam poznał.

A.G.: Wracając do Henryka N. – okopał się, ale ukąsić potrafił...

J.S.: Oczywiście. Obaj bracia byli groźni. Największą prowokacją wobec nas, na jaką sobie pozwolili, było uprowadzenie Ryszarda Sz. „Kajtka". Zawinęli go z ronda Wiatraczna, gdzie stał pod kantorem.

A.G.: Tak po prostu wzięli i zawinęli? Grzecznie poprosili, żeby wsiadł do samochodu, bo chcą z nim pogadać?

Fot. Agencja Super Express/East News

J.S.: Pruszkowscy byli wtedy na kozaku i nikomu nie przychodziło do głowy, że Dziad odważy się na akcję zbrojną. Tymczasem Heniek wraz ze swoimi chłopakami przyjechał pod kantor. Ktoś wysiadł z karabinem maszynowym, rzucił krótko: „Wsiadaj, kurwo", i Kajtek nie miał wyjścia. Od razu się zorientował, że nie ma żartów. Wywieźli go do jakiejś kryjówki i zażądali stu tysięcy dolarów za jego uwolnienie. Robiliśmy wszystko, żeby znaleźć Kajtka, pytaliśmy wszystkich, którzy mogli coś wiedzieć, ale przepadł jak kamień w wodę. Razem z Pershingiem jeździliśmy nawet do najsłynniejszego polskiego jasnowidza, ale i ten gówno wiedział. Krążył z nami po Mazowszu, pokazywał jakieś domy, do których wkraczaliśmy, ale nic to nie dawało.

W końcu spasowaliśmy – wyskoczyliśmy z tej kasy i Rysiek wrócił do nas po jakichś dwóch tygodniach. Nie miał pojęcia, gdzie bracia N. go przetrzymywali. Jedyne wspomnienie z porwania miał takie, że trzymali go związanego, z granatem umocowanym przy palcu od nogi. Musiało go to kosztować sporo zdrowia. Niby wielkiej krzywdy mu nie zrobili, ale dla nas stało się jasne, że z kurwami trzeba pojechać na ostro. Zresztą w pewnym momencie Dziad, kiedy już się zorientował, że z nami nie wygra, zaproponował, że odda nam forsę – i za te dwa tiry, i za uprowadzenie Ryszarda S. Tyle że wtedy usłyszał, że ma się walić. Już nie było przebacz.

A.G.: Rozumiem, że to był wyrok śmierci? Kiedy ruszyliście, by go wykonać?

J.S.: Na pewno słyszałeś o egzekucji w gołębniku w Ząbkach? Piętnastego kwietnia 1995 roku, akurat w Wielki Piątek, Dziad zeznał na policji, że znalazł ciała zastrzelonych kompanów. W gołębniku śledczy natrafili na trzy ofiary gangsterskich porachunków oraz na kilkanaście łusek kalibru 7,65 mm. Wszystko rozegrało się dzień wcześniej, w czwartek.

A.G.: Do dzisiaj nikt nie usłyszał wyroku w tej sprawie…

J.S.: A ja ci mówię, że to mógł być Słowik. Bo chwalił się przed nami tym wyczynem. Do takich akcji on był pierwszy, choć do zabijania rwało się wielu chłopaków. Na przykład

Paweł M. „Małolat", który zasłynął z tego, że zadźgał nożem na śmierć dwóch naprawdę ostrych urków. Umówili się z nim nad Wisłą, żeby mu wytłumaczyć, kto tu rządzi, a on sięgnął po kosę i sprawnie posłał ich do świętego Piotra. Ich ciał nigdy nie znaleziono, ale Małolat chętnie opowiadał o tym zdarzeniu. A wracając do egzekucji w Ząbkach – ekipa pojechała do gołębnika, bo spodziewała się, że będzie tam Dziad. On kochał gołębie, o czym było powszechnie wiadomo, i każdą wolną chwilę spędzał wśród ptaków.

A.G.: Czyli to był jego gołębnik?

J.S.: Akurat nie, ale można powiedzieć, że Heniek miał pod opieką wszystkie gołębniki w Ząbkach. I we wszystkich czuł się jak w domu. Jednak w chwili gdy przyjechali zabójcy, było tam tylko trzech ludzi Dziada, bo on sam – na jego szczęście – bawił gdzie indziej. Kiedy się pojawił, na podłodze leżały trupy. Zginęli: Wiesław Sz., Bogdan C. oraz stróż.

A.G.: Pamiętam, że policja początkowo całkiem poważnie analizowała wersję o porachunkach w świecie hodowców gołębi. Ale potem przez długi czas mówiło się, że to Dziad zlecił egzekucję, bo miał z ofiarami jakieś finansowe zatargi. Podobno dotyczyło to głównie rozliczeń z Wiesławem Sz. A stróż zginął jako potencjalny niewygodny świadek.

J.S.: Było ciemno, zabójcy strzelali, żeby zabić wszystkich. Wtedy mogli myśleć, że wysłali Dziada do piekła. Dopiero potem okazało się, że to nieprawda.

A.G.: Strzelali? Zabójcy czy jeden zabójca?

J.S.: Według mnie zrobił to Słowik. Sam. Ale może przypisał sobie także czyjeś zasługi? Może cię to dziwi, ale w tamtym świecie, im byłeś gorszy, tym byłeś lepszy.

ROZDZIAŁ 10

Jak Wariat w tunelu

Marek D. „Dorian": Oglądałeś film *Drive*? Ten o facecie, który wynajmuje się gangsterom jako kierowca? Dowozi ich na miejsce akcji, czeka i bezpiecznie odwozi. Zna miasto jak nikt i jak nikt jeździ samochodem. Prawdziwy rajdowiec! Jest w stanie w jednej chwili zniknąć z oczu ścigającym go policjantom i pojechać drogą, w którą nikt inny by się nie zapuścił. Dysponuje bryką, która ma pod maską kilka setek koni mechanicznych, jednak to nie od nich, ale od niego, zależy sukces.

Ale jest jedna żelazna reguła: trzymamy się określonych ram czasowych. Jeżeli włamanie się przeciąga, jeżeli jeden z przestępców wpada w jakąś pułapkę i zostaje na miejscu akcji dłużej, samochód nie czeka. Trudno, sorry, życie przestępcy nie zawsze bywa usłane różami.

Ja znam ten film z własnego życia – przez wiele lat byłem kierowcą Pershinga i woziłem go w różne niebezpieczne miejsca. Nie tylko jego zresztą; jeśli ktoś z grupy potrzebował mojego wsparcia, a Andrzej K. wyrażał zgodę, jeździłem i z innymi chłopakami. Jednak – w przeciwieństwie do drivera granego przez Ryana Goslinga – ja czekałem na pasażerów do samego końca.

Cokolwiek by się zdarzyło. Ostatecznie byłem członkiem grupy, a nie kierowcą do wynajęcia. Nawet jeśli chłopcy chcieli, żebym sobie pojechał.

Gdy czułem, że za chwilę może stać się coś niedobrego, zostawałem, nie bacząc na ich zapewnienia, że wszystko jest pod kontrolą.

Zdarzało się, że Pershing przygadywał sobie w nocnym klubie jakąś skórę i mówił, żebym jechał w pizdu, ale ja wiedziałem, że na jego głowę poluje wielu gangsterów z konkurencji. Odmawiałem. „Człowieku, nie wiesz, kto się skrada za twoimi plecami. Nie wiesz nawet, kto wysłał tę laskę, którą chcesz bzykać. Rób, co chcesz, jesteś dorosły, nie będę wam przeszkadzał, ale nigdzie bez ciebie nie pojadę", tłumaczyłem.

Rad nierad machał ręką i odpuszczał sobie przekonywanie.

Z czasem zaczął być bardziej ostrożny; kiedy miałem go odwieźć po baletach do domu, do Ożarowa, nigdy nie znałem trasy, jaką pojadę. To on ją wytyczał w ostatniej chwili. Czasami nie po asfaltowych jezdniach, ale po polnych drogach, na których niejedno auto zgubiłoby zawieszenie. Mój mercedes musiał wytrzymać wszystko. A zdarzało się, że pędziłem przez las ponad sto na godzinę, bo gonili nas ludzie braci D.

Marek D. „Dorian" był jednym z najbardziej zaufanych ludzi Andrzeja K. „Pershinga". W książce *Masa o pieniądzach polskiej mafii* opowiedział o początkach w grupie słynnego bossa i karierze kuriera wożącego po kraju (i nie tylko) pieniądze pochodzące z pruszkowskich interesów. Dorian (którego tożsamość zmieniliśmy na prośbę zainteresowanego – przyp. A.G.) za swoją wierność Pershingowi zapłacił wysoką cenę

Fot. Piotr Liszkiewicz/East News

– podczas zamachu przeprowadzonego przez kilerów braci N. tylko cudem przeżył ostrzał z broni maszynowej. Celem akcji był, naturalnie, jego boss, ale kule trafiły Doriana, który fizycznie bardzo go przypominał. I zamiast na przyjęcie, gdzie miał zawieźć żonę Andrzeja K., trafił do szpitala na pruszkowskim Wrzesinie. W ostatniej chwili, dzięki szybkiej interwencji Masy i Kiełbasy…

Spotykam się z nim w jednej z kawiarni na warszawskim Mokotowie. Temat – kolejne mafijne akcje zbrojne, w których nad Markiem D. czuwała opatrzność. Niektórzy ją nazywają Bogiem, inni po prostu szczęściem.

Rozmowę co chwila przerywają nam telefony, także od tych, którzy brali udział w opisanych poniżej wydarzeniach.

D.: Kiedy stało się jasne, że bracia N., Dziad i Wariat, idą z nami na otwartą wojnę, czyli zamiast pyskówek i pogróżek – ostre kule, zrobiło się naprawdę gorąco. Henryk i Wiesiek czuli się mocni i koniecznie chcieli udowodnić, że to oni, a nie my, mają jaja. Zagrywali ostro, tak jak tamtego letniego wieczoru, mniej więcej w połowie lat 90...

Nasza grupa, czyli współpracownicy Pershinga, często spotykała się w warszawskim hotelu Polonia. Można tam było spokojnie pogadać, a potem popatrzeć na świetne laski tańczące w tamtejszym klubie go-go. Czuliśmy się w Polonii jak w domu.

Doskonale wiedzieli o tym ludzie Dziada, ale nie śmieli zaatakować nas w hotelu. Co nie znaczy, że nie kręcili się w pobliżu.

Pewnego dnia podjechał pod Polonię Wiesiek N. „Wariat", który robił wszystko, by wleźć nam w oczy. I stało się. Ktoś rzucił hasło: „O kurwa, przyjechała ta menda Wariat! Wrócił do miasta!".

Bo przez jakiś czas Wiesiek bawił gdzieś na wyjazdach gościnnych, ale najwyraźniej zatęsknił za stolicą.

Zerwaliśmy się od stolików w letnim ogródku i już, już mieliśmy wywlec go z chevroleta – a może dodge'a, nie pamiętam, w każdym razie był to duży amerykański pikap – ale on pokazał nam tylko kilka obraźliwych gestów i ruszył powoli Alejami Jerozolimskimi w stronę Ochoty. Jechał na tyle wolno, że zdążyliśmy we czterech wskoczyć do zdezelowanej mazdy, chyba modelu 626, i ruszyliśmy za nim z piskiem opon. Ja siedziałem z tyłu.

Ulice były stosunkowe puste, więc gnaliśmy z dużą prędkością. Wariat, który był przed nami jakieś sto metrów, najwyraźniej nie zamierzał uciekać. Raczej wciągał nas w jakąś grę. W jaką? Tego nie wiedzieliśmy. Ale nie baliśmy się go; ostatecznie było nas czterech nabuzowanych emocjami byczków, na pełnym spontanie, a on jechał sam. Jak go w końcu dopadniemy, to spuścimy taki wpierdol, że mu się odechce nas niepokoić!, myśleliśmy.

Tymczasem on mniej więcej setką minął Dworzec Zachodni i skręcił w prawo, w stronę Żoliborza. Wjechał do tunelu. Usłyszeliśmy pisk opon. Wariat – ksywka zobowiązuje! – zatrzymał się w poprzek jezdni i wysiadł z giwerą w ręku.

Czekał na nas.

Kiedy nasz kierowca zorientował się, co jest grane, także dał po hamulcach. A kiedy zobaczył wylot lufy, wrzucił wsteczny. Tyle że za późno.

Wiesiek patrzył na nas tym swoim beznamiętnym wzrokiem. Jego zniszczona i zmęczona twarz trolla przywodziła na myśl postaci z horroru. Co tu daleko szukać – wyglądał jak Colin Clive we *Frankensteinie*. Nawet łeb miał tak samo wielki! Zawsze kiedy oglądam ten przedwojenny film, po plecach chodzą mi ciary, ale emocje w tunelu były jeszcze większe. Bo o ile Frankenstein miewał ludzkie odruchy, Wariat wydawał się pozbawiony ich kompletnie…

Zaczął do nas napierdalać. Strzelał kulami bardzo dużego kalibru; huk odbijał się od ścian tunelu echem, a nam się wydawało, że od wlotu idzie lawina. Mrok rozjaśniały iskry. W powietrzu latały kawałki sufitu, smród prochu wdzierał się do mazdy.

My mieliśmy do dyspozycji jedynie belgijkę, malutki wysłużony pistolet kalibru 7,65 mm, z której zaczęliśmy się ostrzeliwać. Wariat, podobnie jak Frankenstein, kołysał się na sztywnych nogach, nic sobie nie robiąc z naszej kanonady. Pluł ogniem i najwyraźniej bawił się doskonale. Kule trafiały w samochód, ale żaden z nas nie został ranny. Ja zgiąłem się wpół, zupełnie jak akrobata, schowałem za oparciem fotela z przodu i w tej samej chwili usłyszałem świst. Gdybym nie zrobił uniku, pocisk na pewno zaprzyjaźniłby się z moim mózgiem. Ułamek sekundy i byłoby po mnie.

Powiem ci, że gdyby Wariat nie był w gorącej wodzie kąpany i zaczął strzelać chwilę później, nie przeżyłby żaden z nas. Na szczęście w tunelu pomiędzy mazdą a pikapem był całkiem spory dystans, a nasze auto na wstecznym zdołało umknąć z pułapki. Cud, że za nami nie było nikogo...

Jadąc Alejami Jerozolimskimi podziurawionym samochodem, czuliśmy się tak, jakby ktoś podarował nam drugie życie. Spoceni i roztrzęsieni wróciliśmy do Polonii, gdzie czekał na nas Pershing. Po wysłuchaniu naszej opowieści rzucił krótko:

– Ktoś musi zginąć. Pytanie kto.

Ponownie niewiele zabrakło, abyśmy to my zanotowali poważne straty, bowiem wkrótce ludzie Wariata uderzyli w Multipubie. To kolejna kultowa mafijna miejscówka – przytulny bar na ulicy Meksykańskiej, na Saskiej Kępie, gdzie można było przedyskutować, że się tak wyrażę, bieżącą działalność, pykając sobie w bilard. Pershing, podobnie jak wielu chłopaków z grupy, bardzo lubił tę grę, choć wielokrotnie przegrywał spore sumy. Cóż, podobno Ala Capone'a również widywano za stołem…

Tamtego dnia, a było to zaraz po śniadaniu, stanęliśmy do rozgrywki. Szło mi całkiem dobrze, więc nie było takiej siły, która odciągnęłaby mnie od stołu. W pewnym momencie przycelowałem i mocno uderzyłem kijem w bilę. Ale nie tak mocno, kurwa, żeby wywołać eksplozję! Huk był potworny, myślałem, że mi rozsadzi głowę; upadłem na podłogę, podobnie jak reszta towarzystwa. W pomieszczeniu zrobiło się biało od sypiącego się tynku. Na głowy spadały nam kawałki sufitu.

Dopiero po jakimś czasie udało się ustalić, co to takiego. Nad sufitem znajdowały się biegnące do kuchni rury gazowe. I na tych rurach, żeby zwiększyć siłę rażenia, położył ładunek wybuchowy wysłany przez Wariata zamachowiec. Na nasze szczęście tego dnia kuchnia nie podawała niczego na ciepło i właściciel lokalu odciął dopływ gazu. Gdyby tego nie zrobił…

Byłem w takim szoku, że do samochodu wsiadłem z kijem bilardowym i musiało minąć trochę czasu, żebym się zorientował, że coś jest nie tak.

Widzisz, jaki ze mnie szczęściarz? Tyle razy ocierałem się o śmierć, ale jakoś udawało mi się od niej wykpić.

Tyle że potem kumple nie chcieli już ze mną grać. „Ty, Dorian, dodajesz trotylu do bil!", śmiali się jeszcze długo. Śmiali się, chociaż na wspomnienie zamachu tak naprawdę nikomu nie było do śmiechu.

Na wszelki wypadek wyprowadziliśmy biuro z Multipubu i przenieśliśmy się na ulicę Grzybowską do kafejki Basia. Ten lokal, podobnie jak poprzedni, był w całości oszklony, więc siedząc w środku, widzieliśmy nasze samochody. A w tamtych czasach to była podstawa. Chodziło o to, żeby nikt nam nie podłożył żadnego świństwa. Bo wtedy było już naprawdę ostro. Zdarzało się, że przyjeżdżałem do Basi i nie zastawałem tam żadnego z chłopaków. Albo pojechali na akcję, albo ukrywali się przed ludźmi Dziada i Wariata. A ja o wszystkim dowiadywałem się ostatni, bo nie byłem przecież w grupie bojowej Pershinga, więc niby mało mnie to obchodziło. Niby.

Sam musisz przyznać, że jak na kierowcę przeżyłem sporo.

ROZDZIAŁ 11

Ceber musi zniknąć!

A.G.: Zawsze fascynowała mnie ta ksywka: Ceber. Czytałem gdzieś, że tak naprawdę chodziło o Cerbera, trzygłowego psa, który według starożytnych Greków strzegł wejścia do świata zmarłych. Bali się go wszyscy i tylko Herkules dał mu radę...

J.S.: Jasne, pruszkowscy mafiosi byli bardzo biegli w mitologii greckiej i nadawali ksywki po lekturze tej czy innej historii! Ciekawe dlaczego zabrakło wśród nas Zeusa albo Achillesa?

A.G.: No, może faktycznie przeceniam nieco intelekt chłopców z miasta, nie ja jeden zresztą. To skąd ten pseudonim?

J.S.: Od wielkiego łba! Facet miał bańkę jak ceber, takie drewniane wiadro na wodę. A raczej, w jego przypadku, na wódę. To w ogóle był kawał chłopa, ale jego głowa bardziej rzucała się w oczy niż bicepsy. Ksywka przylgnęła do niego w pudle, jeszcze w latach 80.

A.G.: Jest takie powiedzenie „Leje jak z cebra"...

J.S.: To też dobrze pasuje do Cześka. Bo jak przyłożył tymi swoimi łapami wielkości bochnów chleba, tych wielkich, okrągłych, jakich dziś się już nie piecze, to przeciwnik odpływał. Może nie do krainy zmarłych, ale na pewno na oddział intensywnej terapii. Ceber budził respekt, co do tego nie ma wątpliwości. Przynajmniej na początku lat 90.

A.G.: Zanim dojdziemy do momentu, w którym jego chwała zaczęła się z lekka przeterminowywać, chciałbym się dowiedzieć, jak pojawił się w waszej grupie.

J.S.: On nie był w naszej grupie w sensie ścisłym. Jako jeden z recydywistów, takich jak Parasol czy Dzikus, raczej kolegował się ze starymi pruszkowskimi. Kręcił się przy nas, robił ze starymi różne interesy, ale do nas się nie zaliczał.

A.G.: Jakie interesy?

J.S.: Na przykład z Wańką, którego znał od niepamiętnych czasów. Rozrzucali prochy. Mówiłem ci już, że Wańka, czyli Leszek D., był jednym z pionierów amfetaminowego eldorado w naszym kraju. Potem, już po transformacji ustrojowej, zaczął napadać z nami na tiry. To był sam początek lat 90., więc graliśmy wówczas w jednej drużynie z Henrykiem N., czyli Dziadem, który miał dziuple, a od nas brał zawinięty towar. Ceber bardzo szybko się z nim zwąchał, ale nam to nie przeszkadzało; ostatecznie Dziad był i naszym kolegą. No ale z czasem nasze stosunki zaczęły się pogarszać. Henio nie chciał już być pośrednikiem, postanowił stworzyć własną grupę. Wokół niego pojawiły się śmieci, które odpadły z Pruszkowa, a które stały się fundamentem bandy ząbkowskiej. Szybko poczuł się mocny i zaczął kozaczyć.

A.G.: Ceber miał trudny wybór: zostać przy starych pruszkowskich czy opowiedzieć się po stronie Dziada. Nawiasem mówiąc, media okrzyknęły go kasjerem Henryka N.

J.S.: Typowe polskie drogi, co? Początkowo Heniek trzymał się Pruszkowa i całkiem zręcznie lawirował między żywiołami. Ale pewnego dnia coś pękło. Poszedł na wódkę z Wańką i o coś się poprztykali. Ale tak na grubo. Nie mam wątpliwości, że poszło o Dziada, bo to był wówczas główny temat naszych rozmów. Nadciągała wojna z Ząbkami, a my chcieliśmy wiedzieć, na czym stoimy. Ponoć Ceber ostro znieważył Wańkę, a nawet zagroził mu dekapitacją. To nie mogło mu ujść płazem.

A.G.: A Wańka nie mógł mu tak po prostu dać z liścia i puścić konflikt w niepamięć?

J.S.: Może tak by się stało w twoim świecie, ale w mafii to działało troszkę inaczej. Jeśli obrażony należał do kierownictwa grupy, musiał swoje niezadowolenie wyrazić w sposób, powiedzmy, spektakularny. Tak żeby gość już mu więcej nie podskakiwał. Po awanturze Wańka przyszedł do mnie do domu (mieszkałem wtedy w bloku na Kopernika) i spytał, czy jestem gotów na większą rozpierduchę. Oczywiście nie miałem wyboru. Inna sprawa, że do takich akcji zawsze byłem chętny. Nie wiedzieć skąd nagle pojawił się Kiełbacha, który też przebierał nogami, żeby dojechać Cebra.

A.G.: Kiedy to było?

J.S.: Druga połowa 1994 roku, już po moim wyjściu z puszki. No to pojechaliśmy.

A.G.: Nie mieliście oporów, żeby stawać za Wańką przeciwko Czesławowi K.?

J.S.: A kim był dla nas Ceber? Co najwyżej kompanem od kieliszka, nikim więcej. A Leszek D. to zupełnie inna historia. Można powiedzieć: przyjaciel i mentor. Tak czy inaczej, nie mieliśmy wątpliwości, po czyjej stronie powinniśmy stanąć. Zresztą nikt nie zamierzał łamać Cebrowi kości, tylko go opierdolić. Ewentualnie z lekka poturbować.

A.G.: Rozumiem, że jeden na jeden Wańka nie miałby z Cebrem szans?

J.S.: Trudno powiedzieć. Posturą Leszek na pewno odbiegał od tego capa, ale nieźle się bił i był cholernie sprawny. Wyobraź sobie, że pewnego razu, aby nam zaimponować, wyskoczył z drugiego piętra na kupę piachu! Żebyś ty to widział! Skoczył do tyłu i jeszcze zrobił salto w powietrzu, a potem ustał na nogach, zupełnie jak doświadczony akrobata! To świadczyło nie tylko o jego sprawności, ale i o wielkiej odwadze. Dlatego uważam, że Wańka nie spękałby przed Cebrem. Czy dałby radę, to już inna sprawa.

A.G.: Gdzie szukaliście Cebra? W jego domu?

J.S.: Nie. Wiedzieliśmy, że jest w swojej dziupli w Konotopie, na drodze wyjazdowej z Warszawy do Poznania. Oddawał się tam temu, co lubił i umiał najbardziej: chlaniu wódy. To zresztą tam doszło do jego konfliktu z Wańką. Gdy przyjechaliśmy, Czesław K. miał już dobrze w czubie. Podszedł do niego Wańka i mówi: „No i co, kurwo, chciałeś mi łeb uciąć, to teraz ucinaj! Pokaż, jaki z ciebie jebany kozak!". Kiełbacha wyciągnął z kieszeni komin, czyli pistolet, a ja dwa granaty. Nie było żartów.

A.G.: Czy zalany w trupa Ceber czuł powagę sytuacji?

J.S.: Jak się człowiekowi machnie lufą przed nosem, to procenty z niego wyparowują raz-dwa. Powiedziałem mu, całkiem poważnie, że jak się będzie rzucał, to go ożenię z tymi granatami.

A.G.: Naprawdę zrobiłbyś to?

J.S.: W stu procentach. Byłem wtedy zupełnie innym człowiekiem i nie odczuwałem jakichś oporów przed zabiciem drugiej osoby. Chwała Bogu, że nigdy do tego nie doszło, bo nie wiem, jak bym żył ze świadomością, że kogoś wysłałem na tamten świat. No i nie dostałbym statusu świadka koronnego. Ale tamtego dnia aż świerzbiły mnie ręce, żeby odbezpieczyć te granaty! Ludzie się mnie wtedy bali, bo byłem nieobliczalnym wariatem. I wszyscy wiedzieli, że dla mnie nie ma takiego zła, od którego bym się powstrzymał. A jako że Kiełbacha był taki sam, Ceber zaczął robić w gacie. Próbował jednak pyszczyć Wańce;

ta wymiana uprzejmości trwała przez jakiś czas. W pewnym momencie nazwał nawet Wańkę konfidentem, który sprzedał kolegów, i pojechał po nazwiskach. Dodatkowo oskarżył go o współpracę z SB.

Patrzyliśmy na siebie z Kiełbachą z lekkim zażenowaniem, bo to, co mówił Ceber, wydawało się dość wiarygodne. Ale cały czas trzymaliśmy stronę Leszka i darliśmy się na Cześka, żeby ten przestał pierdolić głupoty. „Jak wytrzeźwiejesz, to pojedziemy z tobą jak z łysą kurwą", powtarzaliśmy jak mantrę, ale on dalej nawijał swoje. W pewnym momencie Wańka dał znak do odwrotu: „Jedziemy, chłopaki. Dziwka usłyszała, co miała usłyszeć. Może to ją nauczy rozumu", powiedział i wyszliśmy.

I to był koniec pierwszego etapu naszego konfliktu z Cebrem. Mieliśmy nadzieję, że facet uzupełni poziom oleju w głowie, a on tymczasem, jak już doszedł do siebie, postanowił na dobre zwąchać się z Dziadem. Najpierw razem chlali wódę, a potem tak się zakumplowali, że postanowili robić grubsze interesy.

A.G.: Podejrzewam, że Ceber źle oceniał rozkład sił. Pewnie uważał Dziada za gwarancję swojego bezpieczeństwa. Poza tym, mimo narastających konfliktów, cały czas pozostawał kolegą starych pruszkowskich z dawnych czasów.

J.S.: I pewnie przez wzgląd na te lata, na wspólnie spędzone w chliwie, nie zrobiliby mu krzywdy. Ale Pruszków to byli nie tylko starzy, ale też młode wilki, czyli ja, Kiełbacha, a nawet Słowik, który wprawdzie chciał uchodzić za jednego ze starych, ale pojawił się w grupie o wiele później. Przy Bolu czy Dreszczu to był młody szczyl. Ale z Andrzejem Z. nie było żartów; jak zagiął na kogoś parol, to musiało się skończyć źle. Tymczasem Ceber, przyklepany z Dziadem, zaczął rozpowiadać po mieście, jaki to Pruszków niedobry, a jakie Ząbki szlachetne i sprawiedliwe. Uznaliśmy, że trzeba coś z tym zrobić, bo wiadomo, że dobry piar to podstawa sukcesu firmy. Na pierwszy ogień rzuciliśmy naszą najgroźniejszą bojówkę, czyli Bryndziaków (ekipę Marcina B., pseudo Bryndziak). Chłopcy dostali od Parasola bombę, którą zawieźli na Pragę, gdzie na odbiór ładunku czekali już Budzik, Słowik, Parasol i jeszcze kilku innych chłopaków. Wspólnymi siłami podłożyli bombę pod ładę należącą do Czesława K. Pierdolnęła, kiedy przyszedł czas, ale Cebrowi udało się przeżyć. Do dziś pamiętam pierwszą stronę jednej z gazet, na której znajdowało się zdjęcie maski samochodu zwisającej z olbrzymiej topoli… Siła eksplozji była tak wielka, że wyniosła kawał blachy na kilkanaście metrów w górę.

A.G.: Podobnie jak podczas zamachu na ciebie, o którym pisaliśmy w książce *Masa o kobietach polskiej mafii*. Wtedy też maska mercedesa odbyła długą powietrzną podróż. Czy zamach wpłynął na zachowanie Cebra?

J.S.: Nie. Wszyscy sobie zdawali sprawę, i my, i on, a także jego nowi przyjaciele, że komuś wkrótce stanie się krzywda. Nieco wcześniej, żeby wywrzeć wrażenie na Henryku N., a także, aby poinformować go o nałożonej przez nas karze za skradzionego nam tira ze spirytusem, zrobiliśmy spektakularny wjazd do Ząbek. Policja wiedziała o wszystkim; na miejscu kręciło się bardzo wielu funkcjonariuszy z pezetów, czyli z wydziału do walki z przestępczością zorganizowaną. Tylko czekali na rozwój wypadków. Czekali, bo nic innego nie mogli zrobić – przyjechaliśmy w sile ponad czterdziestu samochodów, uzbrojeni po zęby. Do rozmów z Dziadem wydelegowaliśmy Pershinga i Wańkę. Warto wspomnieć, że Leszek D. zadbał o odpowiednią oprawę imprezy. Zabrał do swojego jaguara ruskich mafiosów, nie jakichś wymoczków, tylko prawdziwych bezwzględnych karków znad Wołgi czy innego Donu. Ten zabieg miał dwa cele: pokazać Dziadowi, że za nami stoi siła mafii zza Buga, a Ruskim, że Pruszków nie cacka się z przeciwnikami. I że jeżeli nasi wschodni bracia zamarzą sobie przejąć nasze interesy, to nieźle się poparzą. A szczególnie jeśli wejdą w drogę Wańce, który na pstryknięcie palcami skrzykuje wielką armię.

A.G.: Jak na ten wjazd zareagował Dziad?

J.S.: Był gotów przyjąć wszystkie nasze warunki. Chciał płacić od razu i się dogadywać. Ale to już trochę inna sprawa. Ten wjazd miał o tyle związek z Cebrem, że Czesiek był wówczas w Ząbkach. Podczas gdy Dziad miękł z minuty na minutę, on zaczął kozaczyć i przekonywać Henryka N., żeby się z nami nie układał. Próbował grać rolę złego ducha Dziada i całkiem nieźle mu się to udawało. Ale w ten sposób stał się dla nas takim samym wszarzem jak Henryk N. Chłopaki z Pruszkowa, które były wtedy w Ząbkach, nawrzucały mu jak burej suce i odjechały. Ciąg dalszy miał nastąpić wkrótce.

A.G.: Już raz go nastraszyliście, w Konotopie. Czy teraz konsekwencje miały być bardziej drastyczne?

Fot. Tomek Zieliński/ East News

J.S.: Zaraz potem starzy zorganizowali uprowadzenie jego syna Darka. To była dość głośna sprawa. Powiem ci szczerze, że zarówno mnie, jak i Kiełbachę bardzo to zniesmaczyło. Bo co innego dojechać Cebra za nielojalność, a nawet wybrać się z nim na wycieczkę do lasu, a co innego porywać młodego, niewinnego chłopaka. Wkurwiliśmy się. Nie mieliśmy pojęcia, że właśnie zaczyna się pewien etap w życiu grupy – skrajnej brutalizacji metod przywoływania do porządku.

A.G.: Co znaczy: starzy zorganizowali? Zlecili porwanie, a przeprowadził je ktoś inny?

J.S.: Jak wiesz, w ścisłym sojuszu ze starymi pozostawali bossowie grupy wołomińskiej, czyli Ludwik A. „Lutek" i Marian K. „Maniek". Jako że Ceber mieszkał na obszarze ich jurysdykcji, Maniek z Lutkiem podjęli się zadania gnębienia gościa. Tak samo jak starzy nienawidzili Cześka K. i aż się rwali do tej roboty. Nie wiem dokładnie, jak wyglądała logistyka uprowadzenia młodego, ale na pewno stali za nim starzy i wołomińscy. Syn Cebra trafił na kilka dni do jakiejś podradzymińskiej dziupli Mariana K. Nie znęcano się nad nim jakoś przesadnie, ale parę razy się popłakał. Jak rozmawiał z ojcem przez telefon, szlochał, że porywacze grożą mu śmiercią.

Starzy byli zachwyceni, że dwudziestolatek o posturze Cebra rozkleja się na pstryknięcie palcami. W tym czasie Czesław organizował okup; za wolność syna miał zapłacić sto pięćdziesiąt koła papieru, choć początkowo chodziło o kwotę dwa razy większą. Sumę tę zorganizował bardzo szybko, choć musiał się nieźle nachodzić.

A.G.: Podobno to Pershing pomógł mu zbić wysokość okupu. Słyszałem też, że Ceber próbował pożyczyć pieniądze od Dziada, ale ten odmówił.

J.S.: To do Dziada podobne. Zawsze uważałem go za mendę i chyba się nie myliłem. W każdym razie uprowadzenie syna wzmogło nienawiść Cebra i do starych, i do Lutka z Klepakiem. Poprzysiągł zemstę, choć pewnie w głębi duszy zdawał sobie sprawę, że to tylko rojenia. Nie miał takich możliwości, żeby cokolwiek zrobić prześladowcom. No ale pyszczył, więc zarząd grupy postanowił go uciszyć raz na zawsze. Do jego willi w Markach przy ulicy Sowińskiego wysłano Słowika, podejrzewam, że w towarzystwie niejakiego Kajtka z Lublina, który był asystentem przy wielu podobnych eskapadach Andrzeja Z.

A.G.: Rozumiem, że Czesław K. akurat był w domu?

J.S.: Nie. Sama willa była niezamieszkana i wystawiona na sprzedaż, ale należała do Cebra i on dość regularnie w niej bywał. Słowik wiedział kiedy, więc złożył wizytę właścicielowi z wyprzedzeniem. Jak przystało na wytrawnego włamywacza, bez trudu otworzył drzwi wejściowe i na klamce od wewnętrznej strony zainstalował pocisk moździerzowy. Kiedy 13 marca 1995 roku Ceber nacisnął klamkę, pocisk spadł na podłogę i eksplodował, niemal rozrywając nieszczęśnika na strzępy. Przy okazji zginął kompan Cześka, Jerzy M., który towarzyszył mu tamtego dnia. Śmierć została uczczona w Pruszkowie huczną stypą, której uczestnicy wielokrotnie wznosili toast za jego zdrowie. Takie stypy stały się potem tradycją.

A.G.: A oto, co o śmierci Cebra napisał w książce *Świat według Dziada* Henryk N. Cytuję: „Sprawców podłożenia bomby nietrudno było wskazać. Wszyscy się domyślali, kto to zrobił, tylko policja nijak nie mogła się domyślić. Zwijali wszystkich chłopaków z różnych okolic, mnie też nie pominęli, zapomnieli oczywiście o Lutku. Może dlatego, że mieszkał w Międzylesiu, a to jest aż 10 kilometrów od centrum Warszawy. Pewnie policjanci byli zmęczeni i po prostu nie chciało im się tak daleko jechać. Co jednak ciekawe, dzień przed tą tragedią do żony Cebra zadzwonił policjant z tej dzielnicy, gdzie stała ich willa. Powiedział, żeby Ceber tam przyjechał, ponieważ jego ludzie zauważyli, że koło posesji ktoś się kręci. Ceber wrócił do domu późnym wieczorem i wtedy żona powiedziała mu o tym dziwnym telefonie. Rankiem następnego dnia Ceber postanowił sprawdzić, co tam jest grane, bo przecież w willi nie było nic, co by mogło zainteresować złodziei. (...) Nie chcę przesądzać, czy to policjanci wystawili Cebra, czy też nie. Dziwi mnie jednak, dlaczego ludzie pana komendanta sami nie sprawdzili, kto to taki kręcił się koło domu Cebra".

Tyle Dziad. Uważasz, że w spisek na życie Cebra mogła być, jak sugeruje Henryk N., zamieszana policja?

J.S.: To są jego teorie. Ja wiem jedno – na uciszeniu Cebra zależało wielu ludziom. I wielu odetchnęło z ulgą, kiedy w jego willi wybuchł pocisk. A czy sprawca zdarzenia zostanie kiedykolwiek ukarany? Szczerze wątpię.

ROZDZIAŁ 12

Za Zakrętem czyha śmierć

Był mroźny styczniowy poranek 1997 roku.

Od pewnego czasu policja obserwowała samochód marki Audi, zaparkowany przy jednej z ulic na warszawskiej Pradze. Niewprawne oko nie zauważyłoby zapewne nic niezwykłego – ot, ktoś zaparkował pojazd i wyjechał na zimowe ferie – ale funkcjonariusze podejrzewali, że ktoś porzucił auto i nie zamierza po nie wracać. Być może zostało skradzione, a być może coś się stało właścicielowi. Wreszcie postanowiono przyjrzeć się sprawie dokładniej.

Po otwarciu bagażnika wszystko stało się jasne. W samochodzie ukryto zwłoki. Nie było wątpliwości, że mężczyzna został zabity w gangsterskich porachunkach. Ustalenie tożsamości denata nie stanowiło większego problemu – policja przyjmowała zgłoszenia o zaginięciach i doskonale wiedziała, w jakim środowisku obracają się ich ofiary. Zabitym okazał się 48-letni Apoloniusz D., znany na mieście jako Poldek, gangster z grupy ząbkowskiej. Śmierć dosięgła go tydzień wcześniej. Gdyby było lato, identyfikację utrudniłby zapewne rozkład zwłok.

A.G.: Czym się wam naraził?

J.S.: Tym, że trzymał z Wariatem i raz go uratował. To się działo w czasie, kiedy wojna wkroczyła w nową fazę. Wrogiem Dziada była już nie tylko grupa pruszkowska, ale także frakcja Wieśka N. „Wariata". Nie wiem dokładnie, o co poszło między braćmi, słyszałem, że o babę, ale nie chcę powtarzać niesprawdzonych plotek, w każdym razie złapali się za łby. Ich konfliktu nie da się, oczywiście, porównać z rozgrywką z nami, ale tak czy inaczej Heniek i Wiesiek przestali sobie ufać. Nie mogli już na siebie liczyć. Pierwszy miał wprawdzie do dyspozycji większą ekipę, ale za to ludzie Wariata słynęli z wyjątkowego okrucieństwa i determinacji. Wiesiek kręcił swoje prochy w Zakręcie (miejscowość pod Warszawą, na wylotówce w stronę Lublina – przyp. A.G.), a Heniek, jak zawsze, zajmował się mydłem i powidłem: paserka, kradzione samochody, windykacja długów i tak dalej. W tamtym czasie stał się na Pradze na tyle mocny, że pruszkowscy raczej nie wchodzili mu w paradę. Mimo to bez wsparcia Wieśka nie czuł się zbyt pewnie.

A.G.: Wspominałeś, że chciał nawet oddać wam wszystkie pieniądze, które był winien.

J.S.: Tak. I mogliśmy wziąć tę kapustę, a dopiero potem odjebać Dziada. Ale, bez względu na to, jak to zabrzmi, to były czasy honoru, charakterności. Jak ktoś jest kandydatem na trupa, to się go nie skubie. Wróg to wróg. Podam ci inny przykład. Kiedyś Pershing wysłał chłopaków, żeby odpalili Wieśka. Zaczaili się przy drodze w Wawrze, patrzą i widzą samochód Wariata. Nic, tylko pociągnąć za spust. Ale w tym momencie kilerzy orientują się, że boss nie jedzie sam. Obok niego siedzi żona. I odpuszczają. Bo gdyby zaczęła się kanonada, kobita niechybnie zginęłaby razem z mężem. A przecież do niej nic nie mieliśmy, choć to była wyjątkowo zła baba. Tak czy siak, jej obecność uratowała Wariatowi życie. Na razie, rzecz jasna.

A potem skończyła się jakakolwiek charakterność, a zaczęło niewyobrażalne kurestwo. Zabijano niemal na oślep, bez żadnego zmiłuj. W wojnie Pruszkowa z Ząbkami padło wiele trupów, także tych, których nigdy nie wykopano, ale ginęli tylko ci drudzy. Nie zginął ani jeden gangster z Pruszkowa, podczas gdy ząbkowscy padali jak muchy. Tyle że dla nas najważniejsze było odpalenie Heńka i Wariata. Może nawet Wariata szczególnie, bo był bardziej niebezpieczny. Starzy postanowili skończyć z nim niemal pod jego własnym domem, czyli w Zakręcie.

Ta nieudana egzekucja mogłaby posłużyć za scenariusz dla twórców serialu o przygodach gangu Olsena.

A.G.: Było tak wesoło?

J.S.: Było tak nieudolnie. Osiemnastego grudnia 1996 roku z misją wyeliminowania śmiertelnego wroga udały się do Zakrętu same pruszkowskie tuzy: Słowik, Parasol, Klimas i Malizna. Pojechali fordem Malizny. W tamtym czasie bossowie kupowali sobie nieco skromniejsze samochody, żeby nie rzucać się w oczy policji i służbom skarbowym. A jeśli ktoś nie potrafił obyć się bez mercedesa, w grę wchodziła jedynie skromna C-klasa.

Ja i Bryndziaki dostaliśmy zadanie zapewnienia zabójcom alibi – przez cały ten czas siedzieliśmy w restauracji na pruszkowskim Żbikowie i ostro tankowaliśmy. Było nas wielu, więc nikt nie udowodniłby, że nie biesiadował z nami Słowik czy Parasol. Zresztą kierownik lokalu został dyskretnie poinformowany, że ewentualne negowanie naszej wersji może się dla niego źle skończyć. Żeby było jasne, nikt mu nie groził. Zygmunt R. „Bolo" poklepał po prostu faceta po plecach i zagrzmiał serdecznie: „Ty jesteś równy gość i chcesz być dalej równy gość, no nie?". Zatem my chlaliśmy, a starzy ruszyli na zadanie. W lesie przebrali się w jakieś robocze kombinezony, co miało świadczyć o profesjonalizmie, a świadczyło o głupocie. No bo co za różnica, czy jesteś pod krawatem, czy w kombinezonie? Dobra, niech już im będzie, pewnie widzieli to w jakimś filmie. Może nawet w *Gangu Olsena*. Pierwsze skrzypce mieli grać Parasol i jego kałasznikow. Do strzelania rwał się także Klimas. Gdyby ostrzał z broni maszynowej okazał się nieskuteczny, dobijać miał Słowik. Malizna był kierowcą ekipy.

A.G.: Gangsterzy Olsena nie działali aż tak drastycznie. Nie zabijali ludzi.

J.S.: A jak inaczej określić ekipę, która przebiera się w kombinezony, ale na akcję jedzie prywatnym samochodem jednego z gangsterów? Szkoda, że nie postawili bannera: „Śmierć Wariata sponsoruje miasto Pruszków!". Potem cała mafia robiła sobie jaja z egzekutorów.

Ale po kolei. Gdy zobaczyli samochód Wariata, na jezdnię wyszedł Parasol i jak na jakimś kowbojskim filmie chciał przeładować i rozpocząć ostrzał, ale mu się kałach zaciął. Musiał w pośpiechu spierdalać z drogi. Wtedy do akcji wkroczył Klimas, który wywalił serię w stronę auta. Ząbkowski boss zrozumiał, że zbliża się jego ostatnia godzina, i rzucił się na podłogę; kule przeleciały mu nad głową. Przeżył wyłącznie dzięki zimnej krwi swojego kierowcy Poldka. Ten dał po hamulcach, wrzucił wsteczny, ruszył ostro do tyłu i po chwili zniknął starym z oczu. Zamachowcy byli pewni, że z trupem w samochodzie... Na wieczornym spotkaniu świętowaliśmy śmierć Wiesława N., pijąc hektolitry wódy. Ostatecznie starzy zarzekali się, że widzieli, jak Wariat pada. Myśleli, że martwy.

Nawiasem mówiąc, zanim odjechali z miejsca zbrodni, dali dupy ponownie, zostawiając w trawie torbę z kombinezonami. Trzeba było wracać. Zawodowcy!

A potem ktoś zadzwonił z informacją, że Wiesiek przeżył i ma się dobrze.

A.G.: To musiał być szok!

J.S.: Intencja chlania zmieniła się w jednej chwili. Już nie piliśmy na wesoło, ale z wściekłości. Ta złość towarzyszyła nam przez kolejne dni, tym bardziej że konsekwencje nieudanej mokrej roboty były całkiem poważne: trzeba było, na przykład, pociąć forda, bo wypłynęła informacja, że ktoś go widział i zeznał o tym na policji. Dlatego trzeba było znaleźć winnego tej, bądź co bądź, kompromitacji. Padło na Poldka, który wyciągnął swojego szefa z opresji. Ktoś, kurwa, musiał zapłacić! Czy słusznie, że akurat on? Oczywiście, że niesłusznie, ale kto powiedział, że grupa pruszkowska kierowała się racjonalnymi pobudkami i sprawiedliwością?

Za jakiś czas pojechało do niego czterech kilerów; tym razem audi było kradzione. Znaleźli go na Pradze i wrzucili do bagażnika. Wywieźli gdzieś na odludzie i tam poczęstowali go kilkoma pestkami w głowę. Potem porzucili samochód na ulicy i zniknęli. Funkcjonariusze, którzy otworzyli bagażnik, w mig zrozumieli, że wojna polskich gangów stała się skrajnie brutalna.

ROZDZIAŁ 13

Strzał między oczy

Po wydarzeniach w Zakręcie Wiesław N. z pewnością zrozumiał, że śmierć zaczyna deptać mu po piętach. Wprawdzie igrał z nią przez ostatnich kilka lat, ale teraz przeciwnik wydawał się zdeterminowany. Prawdopodobnie nie wchodziły już w grę żadne negocjacje z Pruszkowem; nie było o czym gadać, po prostu ktoś musiał wypaść z gry. Brat Wariata, Heniek, miał nieco inną naturę – był ostrożniejszy, może nieco bardziej strachliwy, a nad nieustanną awanturę przedkładał spokój. Dlatego zaproponował starym pruszkowskim układ: zapłacę wszystkie kary i zapominamy o konflikcie. Kiedy zarząd Pruszkowa odrzucił ofertę, Dziad zaszył się w Ząbkach, gdzie przerażony czekał na rozwój wypadków.

Wiesiek natomiast był w swoim żywiole; poczucie, że z kimś i o coś walczy, nakręcało go i wzmagało jego odwagę. Przesadą byłoby stwierdzenie, że lekceważył śmiertelne zagrożenie, ale nie robiło ono na nim większego wrażenia. Ostatecznie, kto powiedział, że to pruszkowscy wygrają? On również dysponuje wyjątkowo niebezpieczną armią i ma zamiar dowieść jej bojowej siły!

Tyle że stało się inaczej. Szóstego lutego 1998 roku Wiesław N. padł martwy na warszawskiej ulicy.

J.S.: Śmierć Wariata była kulminacyjnym momentem naszej wojny z braćmi N. Po nieudanej egzekucji w Zakręcie starzy byli wściekli i gotowi na wszystko, byle tylko ich wróg trafił dwa metry pod ziemię. Jednocześnie mieli poczucie, także dzięki mnie, że są rzeczywiście mocni. Po aresztowaniu Rympałka stworzyłem na bazie jego i moich ludzi taką grupę, która mogła przenosić góry.

Zaczęło się jeszcze bardziej zajadłe polowanie. Potęga Dziada i Wariata skończyła się niemal z dnia na dzień. Na gangsterskiej scenie pozostaliśmy wyłącznie my. Nasza dominacja nie podlegała dyskusji.

A.G.: Ile czasu zajęły wam przygotowania do zgładzenia Wiesława N.?

J.S.: Bądźmy szczerzy... Bez wsparcia z zewnątrz nie poszłoby łatwo. I być może zwierzyna umknęłaby pogoni.

A.G.: Co oznaczało wsparcie z zewnątrz?

J.S.: Po śmierci Wariata pojawiły się rozmaite wersje tego zdarzenia, różne plotki i domysły. Prawda zaś jest taka: w dotarciu do ofiary pruszkowskim pomagały i policja, i operator sieci. Wiesiek był na celowniku psiarni i nieustannie miał na karku obserwację. Starym udało się pozyskać informatora, który donosił, gdzie aktualnie znajduje się Wariat. Ale dla pewności opłaciliśmy też

Fot. Wojciech Grzedziński/East News

menedżera z sieci telefonii komórkowej, z której korzystał. Nie potrafię powiedzieć, od kogo nadeszła wiadomość, że 8 lutego Wariat pojawił się w delikatesach na Płowieckiej. Ważne, że była prawdziwa.

A.G.: A nie wystarczyło po prostu raz jeszcze zaczaić się w Zakręcie?

J.S.: Nie, bo Wariat nabrał rozumu i zaczął wreszcie oglądać się za siebie. Swoją okolicę obstawił ostrymi chłopakami, więc gdyby pojawił się tam ktoś wzbudzający podejrzenia, zostałby odpalony bez wahania. Starzy uznali, że śmierć Wieśka musi nastąpić gdzie indziej. Gdzieś, gdzie nie będzie się jej spodziewał.

A.G.: Duże delikatesy na ruchliwej ulicy to niezbyt fortunna lokalizacja...

J.S.: Zależy, jak na to patrzeć. Z punktu widzenia bezpieczeństwa postronnych faktycznie kiepska. Ale dla pruszkowskich kilerów znaczenie miało tylko to, że Wariat niczego złego się tam nie spodziewał. Miejsce pełne świadków, wszędzie kamery przemysłowe, ochroniarze. Kto przy zdrowych zmysłach porywa się w takich warunkach na akcję zbrojną? A jednak.

A.G.: Pruszkowscy kilerzy, czyli kto?

J.S.: Grupa Zbynka.

A.G.: Zbigniewa W.? Czy on też był na miejscu zbrodni?

J.S.: Nie. On koordynował akcję, ale nie było go tamtego dnia na Płowieckiej. To on opowiadał starym, że Wieśka postrzelono w jajka, bo najpierw N. dostał serię w pachwinę, a dopiero potem wyżej. Zabójca strzelał z broni maszynowej.

A.G.: A kto był w plutonie egzekucyjnym? W Wikipedii można przeczytać, że strzelał nieznany sprawca...

J.S.: Nie mam pojęcia, kto prowadził samochód. Wiem natomiast, że strzelał gangster imieniem Michał, najbardziej zaufany człowiek Zbynka. Sam widziałem, jak starzy gratulowali mu udanej akcji, a on nie zaprzeczał. Oczywiście, jak zawsze w takich sytuacjach, pruszkowscy zorganizowali balangę. Wóda lała się hektolitrami, a pamięć Wieśka czczono toastem za toastem.

A.G.: Skąd w grupie pruszkowskiej wziął się Zbynek? Pochodził ze Żbikowa?

J.S.: Ależ skąd! Jak wielu liczących się członków grupy urodził się i wychował na warszawskiej Pradze, naturalnie w cieniu bazaru Różyckiego. Kiedy w latach 80. młode pruszkowskie urki jeździły do Warszawy, chętnie spotykały się ze Zbynkiem, który im imponował – był charakterny, a na bazarze miał dużo do powiedzenia. Otaczał się mocnymi gośćmi, wśród których prym wiódł niejaki Lewis. Jakiś czas później drogi obu panów, to znaczy Zbynka i Lewisa, się rozeszły, ale na przełomie lat 80. i 90. było im ze sobą po drodze. Razem z młodymi pruszkowiakami zaliczali kolejne dyskoteki, choć nie te topowe, gdzie oczywiście dymili, ile wlazło. W każdym razie sława Zbynka szybko dotarła do Pruszkowa. Gdy otarł się o mnie i o Kiełbachę, zaczęły się wspólne wypady do Parku czy innych elitarnych dyskotek. Nawiasem mówiąc, zawsze lubił dyskoteki, choć sam był typem powiatowego twista; z tymi swoimi włosami na cukier i niedźwiedzim bajerem raczej nie nadawał się do lepszych lokali. Ale kiedy otworzyłem Planetę i zapowiedziałem, że nie będę wpuszczał pruszkowskich gangsterów, starzy wybłagali, żebym zrobił wyjątek dla Zbynka. Bo taki zasłużony. Zgodziłem się.

W latach 90. Zbynek rósł w siłę i wyrabiał sobie nowe znajomości. Muszę przyznać, że miał też łeb do biznesu – pieniądze zarobione na benklu inwestował w kasety magnetofonowe z pirackimi nagraniami z modną muzyką, którymi handlował na bazarze. Nie muszę chyba przypominać, że w sklepach płytowych PRL-u zachodnie rytmy były raczej niedostępne? W latach 90. miał też solaria, które przynosiły mu spore zyski. No i równolegle budował gangsterską karierę. Na początku lat 90. trafił pod skrzydła Pershinga, co oczywiście wzbudzało respekt.

A.G.: Ci, którzy interesują się tematyką kryminalną, nie kojarzą Zbynka z Pershingiem. Postrzegają go raczej jako szefa własnej niewielkiej struktury.

J.S.: W 1994 roku, gdzieś na siłowni, Zbyszek poznał kulturystów. I to nie pakerów amatorów, którzy dwa razy w tygodniu dmuchają na klatę i biceps, ale prawdziwych tytanów, zawodowców. Adama Wieżę, to pseudonim, nie nazwisko, i wspomnianego wcześniej Michała. Zaprzyjaźnili się i zaczęli razem prowadzać. A od tego już krótka droga do przestępczej struktury.

A.G.: Lewisa z nimi nie było?

J.S.: Jak już wspomniałem, panowie rozeszli się w różnych kierunkach. A z czasem stali się wrogami. O co poszło? W mafii łatwo zrywało się przyjaźnie. U nas syn potrafił zabić ojca, a w Ząbkach brat stawał przeciwko bratu… Sojusze nigdy nie miały trwałych podstaw. Jakiś czas potem Lewis, wraz z Czają, bramkarzem z Parku, okradł mieszkanie Zbynka. Taka to była przyjaźń. A Zbynek,

1856
TRADE MARK
ŻYWIEC

mając u boku kulturystów, rósł w siłę w szybkim tempie. No i zaczęły mu się roić różne rzeczy.

A.G.: Władza i pieniądze?

J.S.: Dokładnie. W połowie lat 90. poprztykał się z Rympałkiem. Nie wiem, o co poszło, w każdym razie wybuchła gwałtowna wymiana zdań. Rzecz się działa na patio dyskoteki Colloseum. Rympałek stał o niebo wyżej w gangsterskiej hierarchii, ale Zbynek pojawił się w towarzystwie Michała, więc sądził, że może sobie pozwolić na wszystko. Zaczął wyzywać Marka Cz. i w pewnym momencie dostał od niego po gębie. Podniósł rękę, żeby oddać, ale wtedy rzuciło się na niego ze dwudziestu Rympałkowych ochroniarzy. A to nie była grupa poetycka czy baletowa, ale karatecy i bokserzy, doskonale potrafiący oprawić ofiarę. Nawet Herkules-Michał był w tej sytuacji bezradny. Zbynek i jego przyboczny zaliczyli taki łomot, że ledwie wyszli o własnych siłach. Zrozumieli, że na razie są za krótcy. Smaczku sprawie dodaje fakt, że po stronie Rympałkowych bulterierów był także Lewis. Kiedy jednak Rympałek poszedł siedzieć, Zbynek, za zgodą starych, rozpoczął działania odwetowe. Kilku chłopaków odczuło na własnej skórze, czym jest jego gniew. Jedną z ofiar miał być Lewis właśnie, ale udało mu się uniknąć przeznaczenia. Kiedy wywlekano go z lokalu Zielony Lew w Ursusie, zaparł się i zaczął wrzeszczeć jak oszalały. Miał świadomość, że walczy o życie, więc wykrzesał z siebie nadludzkie siły. Nawet kulturyści nie byliby w stanie oderwać go wtedy od stołu.

A Zbynkowi odwaliło maksymalnie; rzucał się na ludzi, z którymi nie powinien był zadzierać. Między innymi ruszył na mokotowskich. Jednemu z nich, Łysemu Bartkowi, rozpierdolił bojówkę. I to radykalnie. Kilku gościom połamał kości.

Tyle że Bartek to zakapior i nie odpuścił. Postanowił zrobić odwyrtkę.

A.G.: Przypomnę ci twoje własne zeznania. „W odwecie ludzie Bartka Łysego zabili na siłowni, nie wiem gdzie mieści się ta siłownia, Adama z grupy Zbynka, o tym mówiło się na mieście, żalił mi się też Zbynek. O tym mówiło się w mieście, że w czasie gdy Adam ćwiczył, leżąc na ławeczce, ktoś udawał, że ćwiczy obok niego. W pewnym momencie ten ćwiczący obok Adama złapał go za ręce, a w tym czasie podbiegł ktoś inny i uderzył Adama w głowę sztangą. Adam zmarł w szpitalu po kilku dniach, nie odzyskawszy przytomności. Zbynek mówił mi, że zamach na Adama był odwetem Bartka i że główne skrzypce grał Diabeł z grupy Bartka. Z tego co wiem, Diabeł swego czasu był ochroniarzem w dyskotece Grand Zero".

J.S.: Tak było. Zmiażdżyli mu mózg. I rozgorzała wojna. Ludzie Zbynka próbowali zastrzelić Bartka, ale im się nie udało. Kilerzy byli w stresie i strzelali niezbyt precyzyjnie. A potem Michał został zastrzelony pod Salą Kongresową. Bartek też już zresztą nie żyje. Porwał się na Korka i ludzie tamtego wysłali go w zaświaty.

A.G.: Jeszcze jeden cytat z twoich zeznań, dotyczący sprawy, która interesuje mnie wyjątkowo. „W dalszym ciągu chcę opowiedzieć o zajściu, jakie miało miejsce w styczniu 1992 roku. Daty dokładnie nie pamiętam, ale w ciągu dnia spotkałem się z W.K. »Kiełbasą«, który powiedział mi, że wieczorem pojedziemy rozwalić klub Park. Powiedział mi, że pobito tam lub nie wpuszczono do klubu Zbynka, tzn. Zbigniewa W. K. (Kiełbasa – przyp. A.G.) mówił mi, że Zbynka potraktowali źle bramkarze z Parku, a szczególnie Czaja, jest to pseudonim, nazwiska jego nie znam.

Nie pamiętam już dokładnie, ponieważ było to 10 lat temu, w każdym razie w godzinach wieczornych spotkaliśmy się pod klubem Park. Ja przyjechałem tam mercedesem Wojciecha K., wraz z nim. Nie pamiętam, czy jeszcze ktoś z nami jechał. W pobliżu klubu było już dużo osób z Pruszkowa, pamiętam Słowika, R. (Bola – przyp. A.G.), Zbynka, Dreszczów – Jacka i Czarka, byli też benklarze, w sumie oceniam, że było tam około 70 osób z Pruszkowa. (...) Samochody zostawiliśmy pod klubem Stodoła i wszyscy poszli pod klub Park. Z tego co widziałem, około 15 osób miało pistolety, reszta miała kije bejsbolowe, rurki, łańcuchy, np. Słowik miał pistolet i gryfy od sztangielki do podnoszenia ciężarów. Z tego co widziałem później, broń palną, tzn. pistolet, mieli też R., Kiełbasa, Zbynek, Szczawik od Zbynka, innych nie pamiętam.

Podeszliśmy do drzwi wejściowych do klubu Park, drzwi otworzył Czaja i drugi mężczyzna, blondyn o kręconych włosach, nie pamiętam jego imienia".

J.S.: Złapaliśmy Czaję, ale ten się wyrwał i zaczął uciekać. Biegał dookoła budynku, po czym tylnym wejściem wkroczył do środka. Po chwili zobaczyliśmy go znowu, ale tym razem nie było żartów – Czaja miał na sobie kamizelkę kuloodporną, a w ręku karabin maszynowy. To były, jak widać, jego narzędzia pracy, które trzymał w szafce narzędziowej. Strzelił w powietrze, a Kiełbasa odpowiedział ogniem w jego kierunku. Nie trafił. Potem zaczęła się kanonada; pruszkowscy sięgnęli po kominy i pruli do bramkarza. Ten jednak znowu uciekł na zaplecze, tyle że tym razem kulejąc. Widocznie trafiło go kilka kulek. Zygmunt R. próbował rozwalić kolegów Czai, ale też nie popisał się skutecznością. W końcu wskoczyliśmy do samochodów i odjechaliśmy. Wprawdzie Czaja nie zginął, ale zrozumiał, że z nami się nie zadziera.

A.G.: Rozeszło się po kościach?

J.S.: Niezupełnie. Pewnego pięknego dnia Czaja zniknął. Po prostu się rozpłynął. Nie miałem pojęcia, co się z nim stało, ale specjalnie się nie martwiłem. Prawdę poznałem dopiero za jakiś czas, w 1997 roku, w Międzyzdrojach. Pojechałem tam z Nikodemem S. „Nikosiem", żeby wysuszyć na plaży kilka butelek szampana i pogadać o interesach.

Wieczorem, w pewnym eleganckim barze, spotkałem Zbynka i jego chłopaków, którzy przyjechali na krótki wypoczynek. Przysiedli się do mnie i zaczęliśmy tankować. Piwo, wóda, nie dam głowy, czy nie wciągnęliśmy po kresce. Jak rozwiązały się im języki, zaczęli, jeden przez drugiego, opowiadać z dumą, jak odpalili Czaję. Wywieźli go gdzieś w pole i zaczęli oprawiać. Powody były co najmniej dwa: akcja w Parku i okradzione mieszkanie Zbynka.

Śmiali się do rozpuku, wspominając, że wił się jak piskorz i całował ich po nogach. A kiedy ukląkł, żeby błagać o życie, Zbynek strzelił mu w twarz, trafiając dokładnie między oczy. Zupełnie jak na filmach o mafii, których się naoglądał. To była, według niego, esencja charakterności.

A.G.: Czy ktoś odpowiedział za śmierć Czai?

J.S.: A skąd! Nie ma ciała, nie ma świadków, nie ma sprawcy. Tylko węgorze zadowolone. Pewnie miały używanie.

ROZDZIAŁ 14

Nie zaczynaj wojny, której nie jesteś w stanie wygrać

Kiler, który około południa wkroczył do gdyńskiej agencji towarzyskiej Las Vegas, doskonale znał rozkład budynku. Wiedział, gdzie za chwilę znajdzie dwóch biesiadujących mężczyzn: Wojciecha K., prezesa towarzystwa ubezpieczeniowego Hestia, i Nikodema S., bossa kryminalnego podziemia Pomorza. Celem ataku miał być ten drugi, znany szerzej pod pseudonimem Nikoś. Zabójca podszedł do słynnego gangstera i strzelił mu w głowę. Choć strzał był śmiertelny, egzekutor wypalił jeszcze kilkakrotnie. Jeden z pocisków zranił w nogę Wojciecha K., który szczęśliwie przeżył to koszmarne wydarzenie. Przy stoliku siedziały również żony obu panów, ale nie stanowiły przedmiotu zainteresowania kilera.

Osoba Nikosia, byłego zapaśnika, ochroniarza nocnych klubów, działacza sportowego i wreszcie gangstera, nadal wywołuje żywe dyskusje, nie tylko w środowiskach przestępczych. Postać traktowanego jak celebryta gangstera wciąż budzi sympatię i wymyka się łatwym ocenom.

Po dziś dzień nie wiadomo, kto, dlaczego i na czyje zlecenie wyeliminował z gry Nikodema S. Albo może wciąż pojawiają się wątpliwości. Trwa również proces, który ma wyjaśnić, co tak naprawdę wydarzyło się 24 kwietnia 1998 roku.

Po strzałach w Las Vegas pojawiło się mnóstwo teorii na temat motywów zabójstwa. Jedna z nich głosiła, że Nikosia zabili gangsterzy ze Śląska z powodu planów przejęcia rynku narkotykowego na południu kraju. Inna, że był zamieszany w zabójstwo szefa policji generała Marka Papały i jego zleceniodawcy obawiali się, by aresztowany Nikoś nie puścił farby.

Wersja Masy jest jeszcze inna.

A.G.: Jak doszło do tego, że jedna z ikon polskiej mafii, Nikoś, zamiast zostać sojusznikiem Pruszkowa, był waszym wrogiem numer jeden?

J.S.: Pruszków nigdy nie typował Nikodema na sojusznika. Nie łączyła nas z nim ani przeszłość, a jeżeli, to w bardzo niewielkim stopniu, ani interesy w latach 90. My robiliśmy swoje, on dłubał swoje. I gdyby nie doszło do pewnych sytuacji, o których za chwilę, pewnie żyłby do dziś. Muszę jednak wyraźnie zaznaczyć – Nikoś był skonfliktowany ze starymi, a nie ze mną. Ja utrzymywałem z nim kontakty niemal do samego końca. Mogę chyba nawet powiedzieć, że łączyło nas coś, co przypominało przyjaźń.

A.G.: Wspomniałeś kiedyś, że poznaliście się jeszcze w połowie lat 80. w Hamburgu?

J.S.: Tak. Obaj trafiliśmy tam na przestępcze saksy, przy czym on już wtedy specjalizował się w handlu zawijanymi furami, a ja głównie kroiłem sklepy. Mijaliśmy się co któryś dzień.

A.G.: Mijaliście? Żadnego „cześć", żadnej piątki na dzień dobry?

J.S.: Bez przesady. „Cześć" na pewno było za każdym razem. Ja wiedziałem, kim on jest, on wiedział, kim ja jestem, ale w tamtym okresie nie czuliśmy przesadnej potrzeby zacieśnienia znajomości.

Zresztą on w Hamburgu raczej bywał, niż mieszkał na stałe. Często jeździł do Polski, wracał, wyjeżdżał. Wprawdzie wtedy takie regularne wypady na Zachód były rzadkością, ale przecież nie odkryję Ameryki stwierdzeniem, że Nikodem był doskonale poukładany z bezpieką. To nie było tak, że SB czy milicja walczyły z przestępczym biznesem – po prostu wchodziły „figurantowi" na głowę i zmuszały go do współpracy. Widocznie Nikoś uznał, że opłaci mu się mieć takie znajomości, i tańczył, jak mu służby zagrały. Ale nic mi nie wiadomo, żeby ktokolwiek przez niego ucierpiał.

A.G.: Byli i tacy, których SB zmuszała do współpracy wyjątkowo perfidnymi, brutalnymi metodami. Ale zawsze znajdowali się ludzie, którzy sami się do tego pchali. Do której kategorii należał Nikoś?

J.S.: Nic mi nie wiadomo, żeby bezpieka wyrywała mu paznokcie czy wywoziła do lasu. Nikodem już od dzieciństwa był sympatycznym, kontaktowym facetem. Jak ktoś go prosił o przysługę, starał się. Zwłaszcza gdy miał poczucie, że, mówiąc nieco patetycznie, dobro do niego wróci. Jednocześnie lubił wiedzieć, co jest grane, i wszędzie się wciskał, ale zawsze z pewną klasą. Był zatem moim kompletnym przeciwieństwem. W tamtym czasie brakowało mi wylewności i serdeczności, za to w nadmiarze miałem nieufności i agresji.

A.G.: Wytłumacz mi zatem, co taki sympatyczny i przyjazny ludziom facet robił w mafii?

J.S.: Bardzo cię proszę, żebyś zbytnio nie idealizował Nikosia. To, że był miły w obejściu, nie znaczy, że nie potrafił przypierdolić. Jako były zapaśnik miał niewiarygodną krzepę i jak trzeba było, korzystał z niej. Otaczał się takimi samymi jak on: silnymi, potężnymi bykami, z przeszłością spędzoną na macie albo na ringu. W Trójmieście jego ekipa naprawdę wywoływała strach, a Nikoś lubił, jak się go ludzie bali. Taki typowy sympatyczny mafioso. Inna sprawa, że miał też charyzmę; wokół niego kręcili się ludzie, których nie podejrzewałbyś o sympatie dla mafii. Między innymi lokalni biznesmeni.

A.G.: Świat filmu też lubił się grzać w jego blasku... Ostatecznie *Sztos* to w jakimś sensie hołd złożony Nikosiowi. Zagrał w nim nawet drugoplanową rolę u boku Cezarego Pazury.

J.S.: Drugoplanową? On zagrał siebie. Rola niewielka, bo przecież nikt nie zmusiłby go do nauczenia się na pamięć dłuższego tekstu, ale znacząca. Ludzie nie pamiętają, o czym był ten film, ale wszyscy kojarzą go z Nikosiem.

Wróćmy jednak do hamburskiego etapu w jego życiu. Tam Nikoś zwąchał się z ekipą, która handlowała amfetaminą. W jej skład wchodzili Wiesiek N., czyli Wariat, i Leszek D. „Wańka". Jak mówiłem ci wcześniej, grupa ta miała duże problemy z niemieckim wymiarem sprawiedliwości. Wiesiek poszedł za kratki, a Wańka wrócił do kraju. Wariat uznał, że Leszek ich wystawił i w nagrodę dostał bilet do Polski. Ale już wcześniej dochodziło do animozji, szczególnie między Nikosiem a Wańką. Wiesz, gdański cwaniaczek chciał pokazać miejsce w szeregu warszawskiemu cwaniaczkowi... I tak geografia stała się przyczyną dalszej wojny. Z kolei Nikodema i Wieśka połączyła nić sympatii – dwie niespokojne dusze od razu znalazły wspólny język. Kiedy Wiesiek w końcu wrócił do Polski, najpierw pojechał do swego kompana, do Gdańska. Po prostu bał się Warszawy, gdzie akurat wybuchła wojna Pruszkowa z jego bratem Henrykiem. To, co się działo, obserwował z daleka.

A.G.: Co sprawiło, że zdecydował się wkroczyć?

J.S.: Nie co, tylko kto. Właśnie Nikoś. Już wtedy dysponował silną grupą pod wezwaniem, więc zaoferował Wieśkowi wsparcie bojowe. Kilku jego chłopakom grunt palił się pod nogami i emigracja z Pomorza do Warszawy była dla nich jak znalazł. Wiesiek obiecał im wikt i opierunek, a także pomoc przy rozkręcaniu bandyckich biznesów. W zamian za to oni mieli stanąć po stronie braci N. I tak się stało.

A.G.: Kiedy zaprzyjaźniłeś się z Nikodemem S.? Od razu po powrocie z Niemiec?

J.S.: Nie. Kiedy obaj wróciliśmy do Polski, przez dłuższy czas nie mieliśmy ze sobą nic wspólnego. A jak już doszło do pierwszego spotkania z Nikosiem i jego grupą, wcale nie było tak miło...

A.G.: Poszło o samochody? Wy przecież też zajmowaliście się wrzutkami, czyli legalizowaniem kradzionych fur na wielką skalę.

J.S.: Nie, między Nikosiem a Pruszkowem nigdy nie było konfliktu o pieniądze. Poszło o gangsterów z Łodzi. Posłuchaj, to ciekawa historia. Na początku lat 80. rosła w siłę grupa łódzka, która z czasem przekształciła się w tak zwaną łódzką ośmiornicę. Chłopaki z Łodzi to były naprawdę ostre, ambitne zakapiory, ale trochę brakowało im lidera, który trzymałby ich za mordę. Dlatego po mieście latały hordy gangsterów, ale działały na zasadzie wolnych elektronów. Dopiero za jakiś czas wziął ich pod but Ireneusz J., czyli Gruby Irek, ale nie na długo, bo nie wszystkim spodobało się to przywództwo. Jak wielu przed nim i wielu po – został odpalony. Stało się to w Wigilię 1997 roku, ale to już inna sprawa. Dla tej historii ważne jest, że Pruszków utrzymywał z Łodzią bardzo dobre kontakty. Ja i Kiełbacha kolegowaliśmy się z jednym z tamtejszych bossów, Studentem (Jan M.). Zawsze mógł na nas liczyć. Nikoś odwrotnie, darł z łódzkimi koty. Pachniało dużym konfliktem, bo zarówno Łódź, jak i Gdańsk dysponowały silnymi, gotowymi na wszystko ekipami, choć łódzcy skrzykiwali się do konkretnych zadań i łączyli w jedną brygadę. A potem rozpraszali. Nie wiem dokładnie, o co poszło, ale w końcu strony umówiły się na rozkminkę. Jak przystało na mafię początku lat 90., starcie ustawiono na parkingu modnego gdańskiego hotelu Marina. To był wówczas sam top – do Mariny przyjeżdżała krajowa śmietanka, a w tamtejszym nocnym klubie bawili się wyłącznie gwiazdorzy, także gangsterskiego światka.

Łódzcy, czujący respekt przed legendą Nikosia, poprosili Pruszków o wsparcie. Przyjechaliśmy, i to w sile kilkunastu uzbrojonych po zęby chłopa. Tych z Łodzi też było naprawdę wielu. Jeśli jeszcze dodało się do tego zastępy z Nikosiowej bandy, można sobie wyobrazić tłum, jaki stawił się na parkingu. Ponad dwustu chłopa!

Już miał się zacząć totalny wpierdol, gdy ktoś rzucił myśl, że zrobi się z tego zadyma i zaraz pojawią się psy. Zbiorowa rozróba nie ma sensu; wystarczy, że skonfliktowane strony wydelegują reprezentantów. Wyniki solówki będą wiążące dla sporu.

Zgodzili się wszyscy.

Gdańscy wystawili jakiegoś kick boksera ze znaczącymi sukcesami na ringach, absolutnego faworyta. Łódzcy natomiast wypchnęli przed szereg młodego watażkę – Grubego Irka. Irek może i nie był mistrzem sztuk walki, ale dysponował potężną masą i takim pierdolnięciem w prawej, że mógł się zatrudnić w rzeźni jako usypiacz byków. Ruszyli do boju. Kick bokser przyjął postawę niczym Bruce Lee i już szykował się do wyprowadzenia kopnięcia okrężnego, gdy znienacka Gruby Irek wywalił mu plombę w ryj, wgniatając płat czołowy czaszki w mózg. Walka zakończyła się w ciągu kilku sekund, a wojownik Nikosia od razu trafił na intensywną terapię. W szpitalu pozostał przez bardzo długi czas. Bo jednak walka na ringu to zupełnie coś innego niż gangsterska rozkminka...

Cios Irka zrobił na wszystkich tak piorunujące wrażenie, że pozwolił mu przejąć kierownictwo w grupie łódzkiej. No ale trudno się dziwić, że po takiej porażce Nikoś nabrał niechęci do pruszkowskich.

A.G.: Naprawdę jego ludzie nie szukali od razu odwetu?

J.S.: Była przecież umowa, że wynik solówki kończy rozkminkę. A ludzie Nikosia, charakterne chłopaki, trzymali się ustaleń. My natomiast – Pruszków i łódzcy, choć przy osobnych stolikach – świętowaliśmy zwycięstwo w modnej wówczas gdańskiej dyskotece Romantica. Nachlaliśmy się wódy i rozstali w świetnych nastrojach. Kiedy za jakiś czas znów pojawiliśmy się w Romantice, ludzie Nikosia patrzyli na nas spode łba, ale nic nie mogli zrobić. Jakby do nas wystartowali, toby ich Pruszków chujami pozamiatał! Nie przejmowaliśmy się. Tyle że za jakiś czas konflikt z Nikosiem powrócił w o wiele ostrzejszej formie, przy czym nie z powodu naszego sojuszu z Łodzią, ale w związku z naszą wojną z Wariatem i Dziadem. Rzeczywistym punktem zapalnym był fakt, że po stronie braci N. walczyli ludzie Nikosia, wcale nie ukrywając, że polują na Wańkę. Zresztą Wiesiek chętnie rozgłaszał po mieście, że doklepały do niego chłopaki z Gdańska, co niemiłosiernie wkurzało starych. Organizowali rozmaite podchody pod Nikodema.

A.G.: Nigdy nie słyszałem, żeby mu podłożono bombę pod samochód czy uprowadzono kogoś bliskiego...

J.S.: Bo początkowo konflikt ograniczał się do, że tak to określę, wymiaru werbalnego. Panowie, jak już się spotykali, wrzucali sobie parę jobów i rozjeżdżali się każdy w swoją stronę. Najgłośniejsza taka sytuacja miała miejsce w 1994 roku w Sopocie, tuż przy wejściu na molo. Pruszków umówił się na rozkminkę z Nikosiem i pojawił w mocnym składzie, z Pershingiem i Słowikiem na czele.

Jak tylko strony zbliżyły się na odległość oddechu, Słowik doskoczył do Nikosia i zaczął mu ubliżać.

A.G.: Dlaczego nie Pershing? Ostatecznie był w pruszkowskiej strukturze nieco wyżej.

J.S.: Ale Słowik miał lepsze gadane. W naszej grupie uchodził za wybornego oratora i jak trzeba było komuś przemówić do rozsądku, ruszał do akcji. Tylko nie wyobrażaj sobie przemowy jak w rzymskim senacie! To było proste: „O, żeż ty w dupę jebany ścierwojadzie, jak cię dojedziemy, to cię rodzona matka nie pozna!", albo coś równie przemawiającego do wyobraźni. W każdym razie jak Nikoś usłyszał perorę Słowika, to mu poszło w pięty i nie bardzo był w stanie odpowiednio zareagować. Nie chciał się bić, bo wynikłaby z tego niepotrzebna zadyma. Jedyne, co mu przyszło do głowy, to telefon do psów i donos, że elita Pruszkowa właśnie weszła na molo i z pewnością trochę czasu tam zabawi. Kilka minut później na sopockiej plaży pojawili się antyterroryści. Wkroczyli na dechy i aresztowali kilkanaście osób.

A.G.: Jesteś pewien, że Nikoś sięgnął po taką – używając pojęcia z waszego kodeksu honorowego – niecharakterną metodę walki z przeciwnikiem?

J.S.: On walczył o swoje, więc każda metoda była dobra. A, jak już wcześniej wspomniałem, był poukładany z policją i wystarczył jeden telefon do przyjaciela, żeby psiarnia zjawiła się w try miga. Tyle że myśmy o tym nie wiedzieli; prawda wyszła na jaw dopiero za jakiś czas. O tyle go usprawiedliwiam, że Słowik nawrzucał mu trochę bezzasadnie. Mógł go wyzwać na solo, ale nie szmacić przy ludziach.

Zresztą nie on jeden miał skłonność do słownego prowokowania Nikosia. Opowiem ci historię z drugiej połowy 1997 roku. Pojechałem kiedyś do Międzyzdrojów, rzecz jasna do luksusowego hotelu Amber Baltic, gdzie spotkałem się z Nikodemem. Nie było to spotkanie przypadkowe – umówiliśmy się na ostre chlanie i inne męskie rozrywki.

Wieczorem poszliśmy do baru. Siedzimy, popijamy, wesoło sobie gaworzymy, aż tu nagle do środka wchodzi Oczko i jego ekipa. Prawdę mówiąc, od razu czułem, że mogą być jakieś kwasy, ale jak gdyby nigdy nic kontynuuję rozmowę. W pewnym momencie słyszę pierwsze docinki – Nikosia zaczynają wyzywać chłopaki Marka M. Niby to wszystko w żartach, ale jest taki rodzaj humoru, który prowadzi na cmentarz. O ile się go przedawkuje. Nikodem zbywał te gadki wzruszeniem ramion, ale widać było, że mu kompania Oczkowych doskwiera coraz bardziej. Powietrze zrobiło się gęste, a ja czekałem tylko, kiedy mój towarzysz wybuchnie. Ten jednak pozostał niewzruszony, choć padały obelgi coraz większego kalibru. Widząc, że wszystko na nic, podszedł do naszego stolika sam herszt, czyli Oczko, i zaczął się przystawiać do Nikosia. Oczywiście werbalnie i oczywiście niby na żarty. Wówczas Nikodem spojrzał na niego kamiennym wzrokiem i wycedził: „Nie zaczynaj wojny, której nie jesteś w stanie wygrać".

Oczkę zamurowało; nie spodziewał się takiej reakcji i chyba naprawdę mocno się obsrał. Bo może i grupa Nikosia nie należała do najmocniejszych, ale ze Szczecinem poradziłaby sobie bez najmniejszych problemów.

Oczko skrzyknął swoich, po czym wyszli z lokalu. A my dalej równo tankowaliśmy, świętując ten kameralny tryumf.

Następnego dnia kontynuowaliśmy popijawę w Świnoujściu. Wynajęliśmy willę, w której oprócz wygodnych łóżek znalazły się też dziewczynki. Cholera, a może to był burdel? Kiedy uznałem, że mam dość imprezowania, poszedłem spać. Po kilku godzinach budzę się, patrzę, a tu na brzegu mojego łóżka siedzi Nikoś.

– Co ty tu, kurwa, robisz? – pytam.

– Pilnuję cię – odparł.

Wtedy zrozumiałem, że Nikodem to gość z klasą. Wiedział, że Świnoujście to niebezpieczny teren, bo pod kontrolą Oczki, więc komuś może się nie spodobać obecność naszego duetu na jego terenie.

A.G.: Czy Oczko dlatego nękał Nikosia, że chciał udowodnić swoją wierność wobec Pruszkowa? Ostatecznie był waszym przedstawicielem na Pomorzu Zachodnim.

J.S.: Nie sądzę. Raczej przejawiał prywatną inicjatywę w tej kwestii. Zbyt cenił sobie niezależność, by grać tak, jak oczekiwali tego starzy. Jeśli podskakiwał, to dlatego, że chciał coś uwodnić. Nie wiem, czy bardziej Nikosiowi, czy sobie samemu. Gangsterzy zawsze podskakują i zawsze wchodzą w ostre konflikty, bo przecież czymś się muszą różnić od urzędników w magistracie, no nie?

A.G.: Wracając do połowy lat 90... Naprawdę, dziwię się, że zdecydowałeś się na bliższą znajomość z Nikosiem. Dziwię się też, że on cię zaakceptował jako dobrego kumpla.

J.S.: Powiem ci tak: nawet jeśli grupom daleko jest do siebie, to z poszczególnymi ich członkami bywa już zupełnie inaczej. Poznałem bliżej Nikosia na początku 1997 roku, u Waldka G., znanego na cały kraj handlarza luksusowymi samochodami. Chłop miał salon w Bytomiu i można było u niego dostać takie cuda, jakich nikt inny pod tą szerokością geograficzną po prostu nie miał. Oczywiście, oznaczało to, że trafiała do niego niemal wyłącznie najzamożniejsza klientela, włącznie z księdzem prałatem Henrykiem Jankowskim, który – jak wiemy – bardzo sobie cenił markę Mercedes, co często powtarzał. Ja też u niego kupowałem. Waldek miał na terenie komisu knajpę, co sprzyjało integracji ludzi, którzy się u niego poznawali. Brał auta między innymi od Nikosia, który już wtedy był gigantem na rynku kradzionych fur. Nie wiem, czy moje spotkanie z Nikodemem S. zaaranżował Waldek, czy było ono kwestią przypadku, w każdym razie kiedy przyjechałem do salonu w Bytomiu, gdański boss już tam był.

A.G.: A jaki ty miałeś interes do Waldka G.?

J.S.: Jak to, jaki? Chciałem kupić kilo ziemniaków. Naturalnie interesował mnie nowy samochód; przymierzałem się wtedy do ferrari testarossa. W końcu nie kupiłem, bo to auto nie na moje gabaryty, ale przyjechałem do Bytomia, żeby obejrzeć. Tam mój wzrok padł na nowego mercedesa SEC-a i zwariowałem na punkcie tego cuda.

A.G.: Fakt, trochę większy od ferrari…

J.S.: Zupełnie inna bajka. Prawdziwa limuzyna, ale o sportowym zacięciu. Mercedesów zawsze było w Polsce od cholery, także tych luksusowych S-klas, ale SEC dla wielu był obiektem marzeń. Okazało się, że auto należało do Nikosia. Po jakimś czasie okazało się również, że egzemplarz był juchcony, ale jakie to miało znaczenie?

A.G.: Zwłaszcza dla kogoś takiego jak ja, kto nie ma pojęcia, co oznacza „juchcony".

J.S.: Z przebitymi blachami. Czyli, powiedzmy, legalny w sposób dyskusyjny.

Zamówiłem u Waldka SEC-a, a Nikoś, widząc moją ochotę na ten wóz, zaproponował, że mi pożyczy swój. „Jest lato, otworzysz szyberdach i zaszpanujesz przed laskami", powiedział. Już wtedy zrozumiałem, że dobry z niego chłop. Wróciłem więc do Pruszkowa jego mercedesem i wzbudziłem w mieście powszechną zazdrość. Oczywiście, nie rozpowiadałem, skąd go mam. Za jakiś czas musiałem to cudo zwrócić, ale on wtedy pożyczył mi mercedesa SL. Jako że to był dwudrzwiowy kabriolet, a ja miałem sporą rodzinę, średnio mi przypadł do gustu. Lecz gest Nikosia mi zaimponował. Ostatecznie wywodziłem się z grupy, za którą on nie przepadał...

Potem jeszcze kilka razy brałem od niego fury. A wiesz, kto mi je dostarczał? Przyboczny Nikosia do najprostszych zadań, Ryszard B., który dziś chodzi w glorii – i w czerwonym więziennym kombinezonie – jednego z najniebezpieczniejszych ludzi w tym kraju. Zabójca Pershinga.

Nasze relacje z Nikodemem zacieśniły się, co szybko dotarło do starych. Miasto zawsze plotkowało na potęgę, więc i moja znajomość nie mogła pozostać w tajemnicy. Pewnego dnia wezwał mnie na rozmowę Zygmunt B. „Bolo" i już od progu opierdolił mnie jak burą sukę, że piję z wrogiem. Kazał mi się opowiedzieć, po której jestem stronie. Wtedy odparłem, że zawsze będę z Pruszkowem. Nie zdawałem sobie sprawy, że starzy darzą Nikosia aż tak wielką nienawiścią. Żeby zamydlić Bolowi oczy, zaproponowałem nawet, że wystawię im Nikosia.

A.G.: Na strzał?

J.S.: Jakoś bym się z tego wyłgał, a wtedy chodziło mi tylko o to, żeby starzy nie zaczęli uważać mnie za wroga. Byli silni i mogli mi jakieś kuku zrobić.

A.G.: Czy rzeczywiście już wtedy chcieli rozwiązać problem Nikosia w sposób ostateczny?

J.S.: Tak. I nie kryli się z tym. Wyrok śmierci był już wydany, choć chyba starym aż tak bardzo na szybkim wykonaniu nie zależało. Oni lubili się delektować poczuciem, że są panami życia i śmierci. Uznałem, że nadszedł czas, aby poinformować zainteresowanego o zagrożeniu. Pewnego dnia zadzwoniłem do Waldka G. i poprosiłem, aby przekazał Nikosiowi, że starzy dybią na jego głowę. Wolałem, żeby nie dowiadywał się ode mnie. To był kwiecień 1998 roku, a dwa tygodnie później Nikodem już nie żył. Ale nie uprzedzajmy faktów.

Kiedy Nikoś dowiedział się o czarnych chmurach zbierających się nad jego głową, zwierzył się kilku swoim znajomym, że go ostrzegłem. Był wśród nich znany handlarz samochodami Krzysztof P., który – pieprzony frajer! – puścił tę wiadomość dalej. No i miałem przechlapane na poważnie.

Przyjechał do mnie do domu Słowik. „Wszystko wiemy, będziesz się pucował", rzucił krótko. Jako że sprawa była poważna, na tym się nie skończyło; starzy umówili się ze mną w restauracji Ambasador przy ambasadzie USA w Alejach Ujazdowskich. To, że rozmowa skończyła się polubownie, zawdzięczam Leszkowi D. „Wańce". On lubił mnie chyba trochę bardziej niż pozostali i uznał, że powinien ratować mi dupę. Podczas gdy jego brat Malizna czy Parasol jechali po mnie jak po łysej kobyle, Wańka tak pokierował rozmową, że po jakimś czasie wszyscy uznali, że być może okazałem się odrobinę łatwowierny i naiwny. Bo uwierzyłem, że z taką wredotą jak Nikoś można się ułożyć. Ale teraz już zrozumiałem swój błąd i będę bardzo zadowolony, że starsi koledzy załatwią problem po swojemu. Wybaczyli młodemu.

Tym bardziej że byłem im jeszcze potrzebny.

A.G.: Taka mafijna godzina wychowawcza?

J.S.: Dokładnie. Tak czy siak było to znacznie lepsze od spotkania z kilerem, który niedługo później rozwalił Nikosia. Inna sprawa, że m o j a egzekucja nie została anulowana, tylko odroczona.

Po śmierci Nikosia urządzono stypę w hotelu Marriott, w której, naturalnie, brałem udział. W pewnym momencie mój dobry znajomy, biznesmen Wojciech P., powiedział mi szeptem, że zaraz przyjdzie po mnie śmierć, więc lepiej, żebym dał nogę. Wyniosłem się z imprezy po angielsku, czyli nikogo nie informując, ale wcześniej zadzwoniłem po swoich chłopaków, żeby mnie wsparli. Tak na wszelki wypadek. Do Marriotta przyjechała taka ekipa, że gdyby coś się stało, nikt nie uszedłby z życiem. Zapewniam cię.

A.G.: Powiedz kilka słów o Krzysztofie P. Tym, który cię wydał przed starymi.

J.S.: To taki typowy warszawski cwaniaczek, który zjadł zęby na handlu kradzionymi furami. W tej dziedzinie był prawdziwym autorytetem i to otwierało mu drzwi do wszystkich liczących się krajowych bossów. Jako że miał żyłkę do biznesu, łapał się i za inne branże, na przykład za budownictwo, ale to jednak przy samochodach był w swoim żywiole. Właśnie dlatego robił deale z Nikosiem i od czasu do czasu z nim balował. Niestety, działał na dwa fronty. I wystawił starym Nikodema. W tym burdelu, w którym Nikoś świętował imieniny w towarzystwie przyjaciela Wojciecha K., pseudonim Kura, prezesa Hestii, był także P. Tyle że jakimś cudem opuścił balowiczów na kwadrans przed pojawieniem się zabójcy.

A.G.: Ale to nie pruszkowscy zabili Nikosia...

J.S.: Wyrok wykonali łódzcy gangsterzy, co wyszło podczas procesu tzw. ośmiornicy, ale całą operację koordynowali starzy. Śmierć Nikodema była ich wspólnym celem, więc połączyli siły i urządzili nagonkę. Policja podejrzewała, że zleceniodawca to Daniel Z. „Zachar" albo Tadeusz M. „Tato" z ośmiornicy, ale nie ma się co oszukiwać. Mózg był gdzie indziej.

ROZDZIAŁ 15

Z bazaru do Suchego Lasu

A.G.: Podwarszawski Suchy Las, przynajmniej w mojej ocenie, urasta do rangi symbolu. Miejsca kaźni waszych wrogów czy niesolidnych dłużników. Wspominałeś o nim w poprzednich tomach i zawsze były to relacje wyjątkowo brutalne. Do Suchego Lasu chętnie zawozili ofiary starsi pruszkowscy gangsterzy, na przykład Kiełbasa czy Dreszcz. A młodsi?

J.S.: Suchy Las rzeczywiście był dla grupy pruszkowskiej jak symbol. Skoro starzy oprawiali tam nieprzyjaciół, młodzi chcieli kontynuować tradycję. Po co szukać innej lokalizacji, skoro na samo hasło już podczas jazdy obiecywali poprawę. Oczywiście na wiele się to nie zdawało, bo i tak spuszczaliśmy im sromotny wpierdol, ale skoro wiedzieli, dokąd jadą, nie próbowali kozaczyć. Byli potulni i chętni do współpracy. Z młodej gwardii miejsce to szczególnie upodobała sobie ekipa Bryndziaków, wyjątkowych sadystów. Kiedy inni kończyli bić, oni dopiero się rozkręcali.

A.G.: Ile osób wchodziło w skład tej grupy?

J.S.: Pięciu. Marcin B. „Bryndziak", Jacek R. „Sankul", Jacek M. „Matyś", Paweł B. „Burzyn" oraz Damian K. „Kotlet". Nawiasem mówiąc, początkowo mówiliśmy o nich „Damianki", od imienia Kotleta, ale potem kierownictwo przejął Bryndziak i zmieniła się nazwa.

To był niewielki zespół, ale bardzo skuteczny. Wysyłało się ich do załatwiania trudniejszych spraw i niemal zawsze wracali z tarczą. A przeciwnik, jeśli miał szczęście, trafiał na oddział intensywnej opieki medycznej. Tyle że nie każdemu było dane takie szczęście. Metody, po jakie sięgano, przeszły do legendy.

A.G.: ?

J.S.: Gdybyś w tamtym czasie wybrał się do Suchego Lasu, od razu zorientowałbyś się, przy których drzewach Bryndziaki oprawiały klientów. Drzewa wyglądały, jakby pracował przy nich jakiś pokaźny bóbr; na wysokości mniej więcej półtora metra widać było wyraźne wcięcia. Ale to nie była robota gryzonia, tylko ślad po kajdankach. Bryndziaki przykuwały więźnia i zaczynały tortury. Ich pomysłowość była niewyczerpana, choć mieli kilka ulubionych patentów. Na przykład polewanie wodą.

A.G.: Jeśli w zimie, to faktycznie tortura. Jeśli zaś latem…

J.S.: Od tego polewania nie robiło się zimno. Wręcz przeciwnie. Bryndziak zawsze miał do dyspozycji samochodowy czajnik, który podłączał do gniazda zapalniczki i podgrzewał wodę do wrzenia. Jako że przez Suchy Las płynie rzeczka o wdzięcznej nazwie Mrówka, wody nie brakowało nigdy. Kiedy wydawało się, że jeniec odpływa w niebyt, traktowano go wrzątkiem. Z miejsca dostawał szwungu i biegał jak oszalały wokół drzewa. Stąd te ślady.

A.G.: Jak to: odpływa w niebyt? To oprócz traktowania wrzątkiem były jeszcze jakieś inne metody?

J.S.: Wrzątek to był sposób na rozbudzenie. Polewało się gościa, kiedy ten już miał dość, w przeciwieństwie do oprawców, którzy dopiero zaczynali zabawę. Podstawowa tortura przeważnie polegała na czymś innym: Bryndziaki zawsze zabierały na robotę cienkie łańcuchy, nie takie jak do medalika, rzecz jasna, które siekły ciało przykutego do drzewa. Krew pojawiała się natychmiast, ale walono do nieprzytomności. O biciu pięściami i kopaniu nie wspominam, bo w porównaniu z łańcuchami to była pieszczota. Choć oczywiście i tej pieszczoty chłopcy nie odmawiali ofierze. Szczególnie w samochodzie, podczas podróży. Żeby się klient nie nudził.

A.G.: Gdzie wynajdowaliście takich okrutników? Skąd się wywodzili?

J.S.: Jeśli spodziewasz się romantycznej historii o zbuntowanych młodzianach z inteligenckich domów, którzy mieli dość czytania modnej literatury i słuchania Chopina, srodze się zawiedziesz. Owszem, w grupie pruszkowskiej trafiali się ludzie ze środowisk inteligenckich, jak choćby mój przyjaciel Wojciech K. „Kiełbacha” czy reprezentant kolejnego pokolenia gangsterów Roman O. „Sproket", ale Bryndziaki nie należały do tej kategorii. To była typowa pruszkowska patologia, wychowana na ulicy i przestrzegająca wyłącznie jej norm. Nic ciekawego.

A.G.: Wspomniałeś, że nie wszyscy, którzy dostawali się w łapy Bryndziaków, mieli tyle szczęścia, by trafić na OIOM. Rozumiem, że ich grupa ma też na koncie ofiary śmiertelne, choć Marcin B. nigdy nie dostał wyroku za zabójstwo. O ile wiem, w tej chwili przebywa na wolności.

J.S.: Ja policji przekazałem pewne informacje, ale skoro trup nigdy nie został znaleziony... Nie ma sprawy.

A.G.: Czyj trup?

J.S.: Obywatela z jakiegoś kraju po byłym Związku Radzieckim. Dla nas każdy stamtąd to był Ruski. Nie wiem, czym im się naraził, ale na pewno wywlekli go z pruszkowskiego bazaru, na którym handlował, i tak długo tłukli cegłami po głowie, aż wyzionął ducha. Potem wrzucili go do studzienki kanalizacyjnej i tyle.

A.G.: Wystarczyło otworzyć właz i byłby dowód...

J.S.: Ja o sprawie dowiedziałem się dopiero po czasie. Ale relacje słyszałem z kilkorga ust, oczywiście od uczestników zdarzenia. Pokrywały się. Nie mam wątpliwości, że oni faktycznie zatłukli tego Ruska, bo po co mieliby się chwalić czymś, czego nie zrobili?

Tyle że kiedy opowiedziałem o tym policji, już jako świadek koronny, ofiarę dawno zeżarły szczury. Zresztą nie wiem, o którą studzienkę chodziło.

A.G.: A czym taki Ruski mógł się narazić Bryndziakom? Przecież nie zabija się ot tak, dla kaprysu.

J.S.: Jesteś pewien? W tamtym czasie byliśmy królami miasta, a Ruscy przyjeżdżali handlować na bazarach. Traktowaliśmy ich jak ludzi drugiej kategorii. Nie wiem, o co poszło w tej sprawie z cegłą, ale opowiem ci kilka przypadków z własnego życia.

Jechałem kiedyś samochodem i zobaczyłem na przejściu dla pieszych jakiegoś faceta. Moje wprawne oko dostrzegło Ruskiego. Jako że od czasu do czasu starałem się walczyć z moją ciemniejszą stroną, postanowiłem go przepuścić. A ten wszedł na pasy i popatrzył na mnie takim wzrokiem, że aż się zagotowałem! Tyle było w nim cwaniackiej buty...

A.G.: Czy ja dobrze słyszę? Wystarczyło popatrzeć złym wzrokiem, żeby doprowadzić cię do wrzenia? A może w jego spojrzeniu nie było niczego złego? Żadnej prowokacji? Może po prostu niewłaściwie oceniłeś sytuację?

J.S.: Jak sobie wspomnę tamto zdarzenie, faktycznie robi mi się głupio. Teraz nie zareagowałbym w taki sposób, ale wtedy postanowiłem dać frajerowi nauczkę. Depnąłem po gazie i przejechałem po nim. Na tyle niegroźnie, że pogruchotałem mu kostkę w prawej nodze i mocno poturbowałem.

A.G.: Wezwałeś pomoc?

J.S.: Widzę, że jesteś w dobrym humorze! Pojechałem do baru przy stacji kolejowej, żeby się napić.

Po kilku głębszych przypomniałem sobie o tym Rusku i kazałem jednemu z taksówkarzy pojechać na skrzyżowanie, gdzie był wypadek. Taksówkarz grzecznie pojechał, po czym wrócił i złożył mi relację. Ruski wciąż leżał na ulicy, a obok niego stały dwa policyjne radiowozy i karetka pogotowia. Żył i był w dobrych rękach.

Następną lufę wypiłem za jego zdrowie.

Kolejne zdarzenie: jechałem kiedyś za Ruskim, który zmierzał swoją wysłużoną ładą na bazar przy Kościuszki. Skręcał w lewo, a ja zamierzałem jechać prosto. Skręcał, skręcał, ale jakoś mu to nie wychodziło, bo ciągle miał samochody z naprzeciwka. Ja bym już ze sto razy skręcił, a on ciągle się szczypał! W końcu się wkurwiłem – wcisnąłem gaz w oplu recordzie i zacząłem pchać nieszczęśnika. Machał rękami, próbował coś wykrzyczeć, ale ja miałem w dupie jego desperację. Skoro nie nadaje się na polskie drogi, należy go z nich wyeliminować! Pchałem go tak ze czterysta metrów, po czym zahamowałem, wysiadłem z auta i podszedłem. Ruski wiedział, co go czeka, ale kara okazała się łagodna – sieknąłem go raz w ryja i pojechałem dalej. Na pewno myślał, że będzie gorzej.

A.G.: Nie obawialiście się, że bazarowi Rosjanie mogą odwołać się do rodaków z mafii? Z gangsterami zza Buga nie poszłoby wam tak łatwo.

Fot. Jakub Ostałowski/Forum

J.S.: A jaka mafia zechciałaby bronić jakichś obszczymurków? Zapewniam cię, że wolałaby zbratać się z nami, niż stawać w obronie handlarzy sowieckim badziewiem. A na bazarach mieliśmy swoich Ruskich, „haraczników". Takich od ściągania podatków od sprzedawców zza Buga.

A.G.: I co, przekazywali wam dolę?

J.S.: No skąd? Przecież to były gówniane pieniądze. Nie chciało się po to wyciągać ręki. Co nie oznacza, że haracznicy nie mieli niczego do zaoferowania. Zawołałem kiedyś jednego z nich, takiego bystrego Wowkę, i mówię: „Posłuchaj, jeśli chcesz mieć spokój i ciągnąć bez problemów te swoje dzieńgi, to dwa razy w miesiącu masz mi podstawić jakąś fajną dziewczynę. Ale nie starą rozklepaną matriochę, tylko fajną Tamarę z dużymi cyckami. Wy na Wschodzie macie ekstralaski, więc nie przyprowadzaj mi byle czego". Zgodził się, oczywiście. W ten sposób każda ładna Ruska, która chciała handlować na pruszkowskim bazarze, musiała przynajmniej zrobić mi loda. A jak była naprawdę ekstra, na lodzie się nie kończyło. Woziłem te panienki do zajazdu w Nadarzynie i tam pukałem do woli. Pamiętam, jak jedna z nich, gdy już się rozebrała i położyła na łóżku, szepnęła: *Zachadi sjuda*. Myślałem, że to jakieś zaklęcie w azjatyckim języku, ale pokazała mi palcem, że na mnie czeka. Zrozumiałem. Żeby było jasne, w szkole nie przykładałem się do nauki rosyjskiego…

A.G.: Czy naprawdę pani, która cię obsłużyła, mogła handlować bez przeszkód? Mówiąc krótko, czy dotrzymywałeś słowa?

J.S.: Ależ oczywiście! Niektóre nawet zostawały moimi koleżankami. To nie była zażyłość na wymianę adresów i korespondencję, ale machaliśmy do siebie na ulicy. No i żaden gangus pokroju Bryndziaka się do nich nie przypierdalał.

Wiele z nich naprawdę zrobiło w Pruszkowie spore pieniądze. A potem wróciły do mężów i narzeczonych.

ROZDZIAŁ 16

Skazani na oklep

W latach 90. dla mafii nie było rzeczy niemożliwych. Za odpowiednią opłatą gangsterzy byli w stanie załatwić towary czy usługi w normalnym trybie niedostępne. Albo dostępne nielicznym. Kto chciał kupić narkotyki czy broń, doskonale wiedział, że grupa pruszkowska załatwi mu je piorunem. Na początku gangsterskiej dekady bardzo pożądany towar stanowiła również... amerykańska wiza. Wprawdzie nad Wisłą nie było już komunizmu, przed którym wielu chciało uciec za ocean, jednak kraj Waszyngtona wciąż jawił się Polakom jako Ziemia Obiecana. Upadek systemu nie spowodował generalnej zmiany władz USA co do polityki imigracyjnej – przed ambasadą w Warszawie nadal ustawiały się kilkusetmetrowe kolejki, a liczba odrzuconych wniosków wcale nie malała.

Przeniknięcie do przedstawicielstwa dyplomatycznego Stanów Zjednoczonych wydawało się misją niemożliwą do zrealizowania, ale chłopcy z miasta jakoś sobie poradzili i z tym problemem. W książce *Masa o kobietach polskiej mafii* pisaliśmy o masowych podróżach gangsterów do USA na konkursy piękności organizowane przez Missland. Wizy dla środowiska nie były żadnym problemem. A w kolejnych latach kontrolowali ich załatwianie innym. Traktowali to jak usługę komercyjną, czystą i bezpieczną. Choć, jak za chwilę się okaże, nie dla wszystkich.

Sławomir K. „Chińczyk": Kiedyś, pod koniec lat 90., znajomy zapytał mnie, czy byłbym w stanie skombinować mu amerykańską wizę. Facet przygadał sobie jakąś babkę z Ameryki, Polkę rzecz jasna, i chciał do niej wyjechać. Wprawdzie w Pruszkowie miał żonę i dzieci, ale co Ameryka, to Ameryka. Powiedziałem mu, że znam jedną taką, która organizuje wizy. Że robi to od dawna i jest bardzo skuteczna. Tak naprawdę była tylko pośrednikiem, bo stempelki załatwiał jeszcze ktoś inny, kto miał dojścia do ambasady. Skontaktowałem ich i gość usłyszał, że nie ma problemu, a na dodatek trafił we właściwym momencie, bo ona akurat znalazła nową wtyczkę, i to tańszą od poprzedniej. Razem z moim znajomym z jej usług miało skorzystać dziesięć osób. Układ był klarowny: kobita bierze od każdego po cztery tysiące papieru, a dojście dostaje od każdej wizy trzy tysiące. Czyli jej zostawało w kieszeni tysiąc, odliczając mały procent, który braliśmy my. Tak czy inaczej wszyscy byli zadowoleni, bo zarobek był łatwy i pewny.

A.G.: I na tym kończy się ta historia?

S.K.: Przeciwnie, to dopiero początek.

Facet z dojściem wziął paszporty i przepadł, pierdolony, jak kamień w wodę! Kasę przytulił, to jasne jak słońce, ale z usługi się nie wywiązał. Szukali go, szukali, ale był poza zasięgiem. Zrobieni na szaro ludzie podejrzewali, że uciekł z tymi dolarami gdzieś na Zachód. Wtedy przyszedł do mnie wspomniany znajomek i mówi: „Sławek, coś z tym trzeba zrobić. Może miasto odnajdzie faceta?”. Sprawa była poniekąd honorowa, więc obiecałem, że się tym zajmiemy.

Spotkaliśmy się z tą wydymaną kobietą w warszawskim Domu Chłopa i ustaliliśmy warunki: znajdujemy faceta, odbieramy paszporty, pieniądze, które wpłacili ludzie, i nakładamy karę. Odniosłem wrażenie, że babka rzeczywiście przejęła się sprawą.

A.G.: Wiedzieliście, kim jest oszust?

S.K.: Taki typowy nikt. Frajer, co zresztą niedługo później udowodniliśmy. Szybko udało się go namierzyć, bo wcale nie uciekł z pieniędzmi, tylko kręcił się po Warszawie. Jego matka miała pawilon z ciuchami na Marszałkowskiej i on prawie codziennie przyjeżdżał tam przed zamknięciem interesu. Wydawało mu się, że skoro jeździ rowerem, to dba o zdrowie. A to nieprawda, bo jeśli nieuczciwie zawija się czterdzieści koła papieru, to igra się z chorobą. I to ciężką.

A.G.: Rozumiem, że wy nie przyjechaliście po niego rowerami?

S.K.: Mają za małe bagażniki. Żartuję, facet nie trafił do bagażnika.

Pewnego dnia podjechaliśmy mercedesem pod pawilon niewielką, ale mocną ekipą: ja, Marcin B. „Bryndziak”, Jacek R. „Sankul” i Jacek M. „Matyś”, ten sam, który dwa lata wcześniej został ranny w strzelaninie pod hurtownią Makro Cash. Była już osiemnasta i gość zamykał sklep. Kiedy wsiadał na rower, zatrzymaliśmy go. Zaprosiliśmy go, na razie grzecznie, do naszego okulara (mercedesa W210 – przyp. A.G.) i mówimy, że mamy do niego pytanie. I ty wiesz co? On zupełnie nie przeczuwał zagrożenia, tylko bał się, że ktoś mu w tym czasie zawinie jego pieprzony rower! Kiedy znalazł się na tylnej kanapie, między nami, od razu dostał powitalny wpierdol i dopiero zrozumiał, że wersalu nie będzie. Ale był dość spokojny. Ruszyliśmy w stronę Suchego Lasu…

A.G.: Przypomnijmy: Suchy Las to pruszkowska katownia, miejsce, gdzie często zawoziliście ludzi winnych wam jakieś pieniądze, żeby przekonać ich do zwrotu należności. Masa wspominał, że jego przyjaciel Wojciech K. „Kiełbasa" lubił wykrzykiwać do ucha ofiary histerycznym głosem: „Zbliżamy się do Suchego Lasu. Boże, co to będzie, co to będzie?". Ponoć miękł wtedy każdy.

S.K.: Kiełbasa to był sadystyczny psychol, ale faktycznie to miejsce powinno nosić nazwę Krwawy Las. Wizowy oszust też został oprawiony nie na sucho, ale na mokro. Byliśmy pewni, że ponura bezludna okolica zrobi na nim odpowiednie wrażenie i facet od razu się przyzna do kradzieży. Ale on chciał być twardy. Zapewniał, że o niczym nie wie i nie ma żadnych pieniędzy. Widocznie ta kapusta totalnie przesłoniła mu rozum. Już w samochodzie, jak wspomniałem, dostał niezły łomot „na przypominki", chociaż nie biliśmy zbyt mocno, żeby nie pobrudzić siedzeń. Ostatecznie był to nowy mercedes Matysia.

A.G.: W lesie zmieniliście taktykę?

S.K.: Nie tyle taktykę, bo rozwiązanie cały czas było siłowe, ile intensywność bicia. Przywiązaliśmy faceta do drzewa, skuliśmy

Fot. Agencja Super Express/East News

mu ręce kajdankami i zaczęło się oprawianie kijami bejsbolowymi. Nie jakieś tam macanki, tylko konkretny wpierdol z całej siły. Po kilku minutach twarz gościa wyglądała jak zmasakrowany arbuz, była napuchnięta i ociekająca krwią. Chłopcy bili go też po nogach, tak mocno, że połamali mu piszczele. Gdyby nie był przywiązany do sosny, od razu padłby na glebę. Ale wciąż nie chciał się przyznać do winy. Wydaje mi się, że dla niektórych z nas to przyznanie się nie miało już żadnego znaczenia. Chodziło o to, żeby skurwiela pognębić ostatecznie.

A.G.: Jak długo to trwało?

S.K.: Na pewno nie godzinkę i nie dwie. Zmienialiśmy się co jakiś czas – dwóch zostawało przy nim, a dwóch jechało coś zjeść czy załatwić. Kiedy zapadła noc, zostawiliśmy go w lesie samego. I tak nie miał siły, żeby wzywać pomocy. Na jego szczęście było ciepło, więc nie zamarzł. Gdyby rzecz działa się zimą, też nie zabieralibyśmy go z lasu i pewnie by wyzionął ducha.

Bijąc go, mieliśmy poczucie totalnej bezkarności – w oczach prawa facet był przestępcą i pójście na policję nawet nie przyszło mu do głowy.

Nad ranem pojechało do lasu dwóch naszych – mnie już przy tym nie było – i kontynuowali przesłuchanie. Facet przyznał się dopiero wieczorem i obiecał zwrot pieniędzy. Powiedział jednak, że nie ma już całej sumy i będzie oddawał stopniowo, tym bardziej że nałożyliśmy na niego karę dodatkową: dziesięć koła papieru.

Zgodziliśmy się i zostawiliśmy go w spokoju. Zapowiedzieliśmy tylko, że jeśli jeszcze raz się zwichnie i będzie próbował nas dymać, to już następnej sesji w lesie nie przeżyje.

Jak on się stamtąd wydostał, nie mam pojęcia. Kulasy miał połamane, więc pewnie czołgał się albo posuwał na klęczkach. Ale doszedł do siebie i częściowo wywiązał z danej obietnicy. Zwrócił paszporty, choć nie wszystkie, a pieniądze mniej więcej w połowie. I zniknął. Tym razem na dobre.

Twardy był, muszę przyznać.

* * *

Czasami piękne chwile zamieniały się w koszmar, zwłaszcza jeśli amator przyjemności przesadzał z korzystaniem z życia.

Paskudna przygoda przytrafiła się choćby gangsterowi o pseudonimie Kafar (ksywka została zmieniona – przyp. A.G.), związanemu z grupą wrogą Masie i jego kompanom. Nie, nie był ani od Dziada, ani od Wariata. Stała za nim potęga pewnej pruszkowskiej frakcji, która coraz bardziej niechętnie spoglądała zarówno na Masę, jak i na jego kwitnące biznesy.

Kafar, który nie cierpiał Sokołowskiego, postanowił zagrać mu na nosie.

Po pierwsze, umyślił odwiedzić kontrolowaną przez Masę agencję towarzyską. Fama niosła, że najlepsze usługi erotyczne świadczone są w pewnym przybytku na warszawskiej Woli, zatem postanowił sprawdzić to osobiście.

Gdyby tylko skorzystał z usługi, podziękował, zapłacił i sobie poszedł, nie byłoby problemu. Ale Kafar za bardzo wczuł się w klimat i po pierwszej sesji oznajmił, że zostaje w burdelu na dłużej. Pił, wciągał kokę i korzystał z powabów pięknych pań, a im więcej używał życia, tym bardziej odmawiał opuszczenia lokalu. Z każdą chwilą stawał się coraz bardziej agresywny i wreszcie jego obecność zaczęła zagrażać bezpieczeństwu dziewczyn i pozostałych gości. Ostrzeżony, że agencja znajduje się pod parasolem Masy, wzruszał ramionami i niezmiennie odpowiadał, że ma to w dupie. Bo Masa mu nie podskoczy.

Po dwóch dniach wszyscy pragnęli już tylko jednego – aby Kafar zniknął raz na zawsze. Gwoli ścisłości, dwa dni to nie był żaden rekord. W środowisku pań świadczących usługi erotyczne po dziś dzień żywe są legendy o pruszkowskich gangsterach, którzy potrafili rezydować w burdelach po kilka tygodni, wyłącznie o wódzie i dragach.

Mimo to dwa dni z Kafarem wystarczyły, by któraś z dziewcząt zadzwoniła do Masy z błaganiem o rozwiązanie problemu.

Dla Sokołowskiego była to sprawa ambicji; oto wszedł mu na odcisk człowiek reprezentujący wrogą koterię. I jeszcze śmie zjadać najlepsze kąski z jego tortu! Z takim frajerem należy pojechać natychmiast.

Karna ekspedycja składała się z czterech osób: Masy, Chińczyka i Mięśniaków, czyli dwuosobowej grupy szturmowej. Tam gdzie pojawiały się Mięśniaki, niemal zawsze lała się krew i trzeszczały kości. Jak tych dwóch bezwzględnych bandytów pojawiło się w najbliższym otoczeniu Masy? Podsunął ich Dariusz B. „Bysio", który miał już trochę dość nieustającej gotowości w oczekiwaniu na zlecenia od Sokołowskiego i chciał poświęcić się własnym interesom. Najwyraźniej uznał, że Mięśniaki, dwóch dość prymitywnych złodziejaszków samochodowych, jeden imieniem Grzegorz, drugi o ksywie Orzeł, z radością przejmą pałeczkę przybocznych bossa. Ostatecznie był to dla nich w gangsterskiej strukturze ogromny awans.

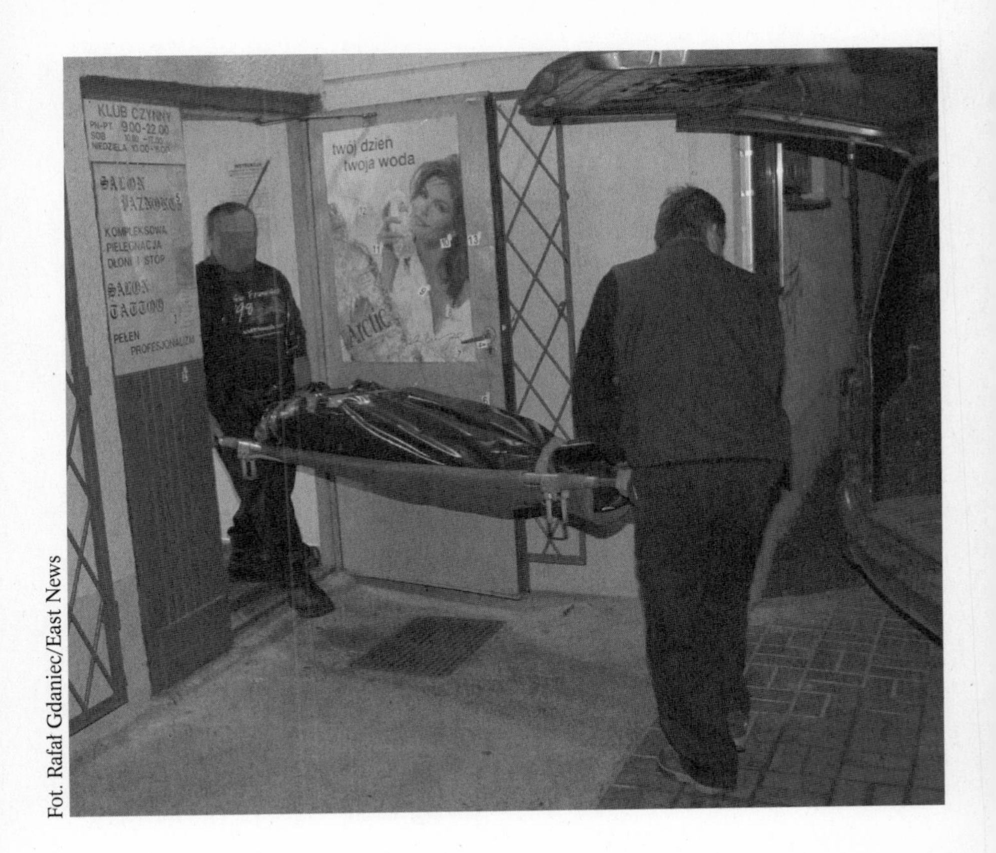

Fot. Rafał Gdaniec/East News

Tak też się stało. Mięśniaki doskonale wywiązywały się z roli ochroniarzy i szturmowców Masy, a szef sowicie nagradzał ich za usługi. A to samochodem, a to telewizorem…

Teraz mieli udowodnić swoją wartość bojową, wyciągając Kafara z burdelu i wymierzając mu karę.

Nieszczęsny hedonista bez problemu znalazł się na ulicy, gdzie został załadowany do bagażnika. Zanim jeszcze zatrzasnęła się klapa, Kafar zaliczył kilkanaście ciosów w głowę akonto dalszego ciągu.

Podróż nie trwała długo. Przed Jankami samochód skręcił w drogę prowadzącą do Falent. Wtedy, pod koniec lat 90., było to totalne odludzie. By nikt nie zobaczył kaźni, wystarczyło zatrzymać się kilkaset metrów od alei Krakowskiej.

Katowanie trwało grubo ponad godzinę, zatem, jak twierdzili uczestnicy tamtego wydarzenia, Kafar nie miał prawa przeżyć. Z jego ciała krew lała się strumieniami, kości trzeszczały jak łamane gałęzie. Po wszystkim bezwładne ciało wrzucono do rowu melioracyjnego.

Jednak Kafar był twardy, podobnie jak wspomniany wcześniej wizowy oszust, i przeżył, choć w szpitalu spędził wiele tygodni. Po jakimś czasie powrócił do gangsterki. Ba, sprawiał wrażenie człowieka, który skutecznie wymazał z pamięci pechowy dzień…

ROZDZIAŁ 17

Cudownie oszczędzony

Kiedy Hannah Arendt pisała swoją słynną relację z procesu Adolfa Eichmanna, przyświecał jej jeden cel – obnażyć banalność zła i absolutną zwyczajność ludzi, którzy je wyrządzają. W książce *Eichmann w Jerozolimie* wykonawca planu ostatecznego rozwiązania kwestii żydowskiej jawi się jako normalny, przeciętny, aczkolwiek sumienny urzędnik, który wcale nie odczuwa nienawiści do Żydów, a ich zabijanie traktuje jak każdy inny obowiązek. Przed południem organizuje transporty do obozów zagłady, po południu je obiad z rodziną, zachowując się jak przykładny mąż i ojciec, oddający się niewielkim przyjemnościom dnia codziennego. A z rana ponownie stawia się w biurze i rozkręca machinę zagłady…

Tezy Arendt są uniwersalne. Można je zastosować do każdego innego zła. Także tego wyrządzanego przez mafię, również polską. Ten, kto wyobraża sobie mafiosów jako demony owładnięte żądzą zabijania i krzywdzenia, jest w błędzie. Być może tak wyglądają w filmach, ale rzeczywistość jest o wiele bardziej banalna. Chłopcy z miasta, choć z pewnością obdarzeni nieco mniej wrażliwym sumieniem (a i to nie zawsze) niż większość ludzi, wcale nie są psychopatycznymi egzekutorami przypominającymi Hannibala Lectera. Owszem, pewna część nie ma problemu z posłaniem wroga w zaświaty czy doprowadzeniem go na skraj życia, ale potem powraca do domów, gdzie – podobnie jak Eichmann – celebruje rodzinną codzienność.

Zdarzało się, że przed południem pruszkowscy gangsterzy wywozili do lasu niesumiennych dłużników i tam masakrowali im kości, a po południu przeprowadzali staruszki przez ulice (to nie *licentia poetica*; w takich sytuacjach widywano na przykład Wojciecha K. „Kiełbasę" – przyp. A.G.).

Nie chodzi o to, aby udowadniać, że bandyta też człowiek i stać go na szlachetne gesty, lecz o zrozumienie faktu, że mafiosem może zostać praktycznie każdy, nie tylko sadysta i despota. To okoliczności robią z niego bestię. Czasem strach, czasem upojenie władzą, czasem poczucie osobliwie rozumianej sprawiedliwości. Jak uderzy się raz, drugi raz przychodzi o wiele łatwiej. A potem katuje się człowieka, traktując rzecz jak zawodowy standard. Nie żadne zło, po prostu windykacja należności. Masa często podkreśla, że wśród starej gwardii pruszkowskiej było wielu zwykłych prymitywnych troglodytów, którzy krzywdzili innych, bo brakowało im zdolności odróżniania dobra od zła. Ale byli i tacy, którzy niby wiedzieli, że pewnych rzeczy się nie robi, bo policja, bo sąd, a nawet Sąd Ostateczny, ale liczyli, że kiedyś staną się szanowanymi obywatelami i nikt nie będzie im wypominał przeszłości.

Okazuje się, że przeszłość wcale nierzadko kroczy z teraźniejszością pod rękę.

Gangsterzy, którzy w latach 90. zwracali się przeciwko sobie, często bywali przyjaciółmi z dzieciństwa. Razem się wychowywali, zwierzali się z pierwszych damsko-męskich przeżyć. A potem dołączyli do różnych grup i przyjaźń się kończyła.

Tak jak w przypadku przestępcy Z., dla którego przestępca S. był przez lata jak brat. Pewnego dnia, wczesnym rankiem, Z. zastukał do domu S. Nie przyszedł sam, ale z gromadą napakowanych karków. Drzwi otworzyła mu matka S., która ucieszyła się na widok przyjaciela syna. Wpuściła go do środka. Ten przywitał się, zamienił z kobietą kilka słów i powiedział, że ma sprawę.

Matka zawołała do śpiącego S.: „Wstawaj, koledzy przyszli!". Jakiż musiała przeżyć szok, gdy Z. i jego kompani brutalnie wywlekli z łóżka jej syna i zaczęli kopać go po całym ciele. Potem zabrali opierającego się nieszczęśnika, wepchnęli do samochodu i wywieźli do lasu na dłuższą rozmowę.

Tę historię opowiedział mi pewien były gangster. Uważam, że mogłaby stać się dla polskiej przestępczości zorganizowanej symbolem nie gorszym niż egzekucja Pershinga...

Spędziłem z byłymi członkami grupy pruszkowskiej bardzo dużo czasu i zapewniam, że bestie były w mniejszości. Oczywiście, trafiały się również, ale gdzie im do tych w stylu Hollywood! Absolutną przewagę mieli faceci, którzy mogli urządzić sobie życie zupełnie inaczej, zamiast porywać się z bronią w ręku na bliźniego.

Gdyby tylko nie wpadli w złe towarzystwo, które mamiło wielkimi pieniędzmi, szybkim życiem w błękicie i łatwymi pięknymi kobietami...

Dla takich atrakcji czasem idzie się na układ ze złem. Tyle że potem trudno się wycofać.

Bo przecież nikt nie powiedział, że odwrót jest taki cholernie trudny...

Fot. Wojciech Traczyk/Agencja Super Express/East News

Czasem, choć to przypadki niezwykle rzadkie, obywa się bez krwi. Zdarzają się zazwyczaj, gdy się nie stało po drugiej stronie barykady, ale jedynie weszło przypadkiem na obcy teren. No i jeżeli nie próbowało się z premedytacją wydymać pruszkowskich...

Sławomir K. „Chińczyk": Dowiedziałem się od mojego znajomego, że jest pewien gość, który przywozi z Holandii fajne ciuchy, głównie babskie. Krąży ciągle między Amsterdamem a Warszawą i ma towaru w pytę; jest w czym wybierać. A że każdy z nas miał jakąś kobietę, ślubną czy nieślubną, której chciał zrobić prezent, taki handlarz był na wagę złota. Bo pod koniec lat 90. zaopatrzenie polskich sklepów odzieżowych znacznie odbiegało od tego na Zachodzie. Niby wszystko było, ale jak dochodziło co do czego, babie nic się nie podobało.

Zanim skontaktowałem się z gościem, doszły mnie słuchy, że ciuchy to tylko przykrywka. Facet tak naprawdę dostarczał do Polski tabletki ecstasy. I to nie w detalu, ale w hurcie na wielką skalę. Po kilkadziesiąt tysięcy sztuk w jednym transporcie.

W tamtym czasie ecstasy to był prawdziwy hit. Dilerzy rozrzucali kolorowe pastylki na wszystkich liczących się dyskotekach, a młodzi ludzie rwali ten syf bez opamiętania. I nikogo nie obchodziło, że odlot po ecstasy jest wyjątkowo lichy i ma się nijak do efektów po wciągnięciu kreski koki. Mówiąc krótko, jeśli czułeś się chujowo, to tabletka tylko potęgowała to uczucie.

Szybko ustaliliśmy, że prochy bierze od faceta jakaś warszawska grupa, czyli konkurencja. I to nam się nie spodobało.

Postanowiliśmy coś z tym fantem zrobić, a jednocześnie przyjrzeć się ciuchom. Bo przecież jedno drugiemu nie wadzi, nie?

Bysio zaproponował, abyśmy umówili się z gościem niby to pod pretekstem zainteresowania ubraniami. A jednocześnie byliśmy ciekawi, czy sam coś wspomni o ecstasy i czy będzie próbował nam przehandlować towar. Bo siła chciwości jest olbrzymia. Jest już wprawdzie jeden rynek zbytu, ale co szkodzi zorganizować następny?

Do spotkania doszło w jednym z warszawskich hoteli. Gość najpierw wyciągnął z przepastnych toreb kiecki, spodnie i swetry, ale po jakimś czasie zaczął nieśmiało przebąkiwać, że ma też coś ciekawszego.

– A niby co takiego? – Zrobiliśmy wielkie oczy.

– Fajne kolorowe tabletki, po których człowiek wraca do zdrowia – odparł.

– Czyli witaminę C? – zgadywałem.

– Coś lepszego. Ecstasy – powiedział tonem zdobywcy bieguna.

Powiedział też, ile by chciał. Około dziesięciu złotych za sztukę, podczas gdy na dyskotekach chodziła dwu-, a nawet trzykrotnie drożej. Propozycja wydawała się atrakcyjna.

Popatrzyliśmy z Bysiem po sobie, niby to rozważając przez chwilę ofertę, po czym stwierdziliśmy, że owszem, jesteśmy zainteresowani. Jeśli towar jest dobrej jakości, rzecz jasna.

– Najlepszej! Zachodniej! – zapewnił.

Od słowa do słowa umówiliśmy się na następne spotkanie, tym razem w hotelu Mak w Żabiej Woli, przy trasie katowickiej. Facet miał przywieźć dragi. Pożegnaliśmy się. Nie pamiętam, czy kupiłem u niego jakieś ciuchy, ale chyba nie.

Przed spotkaniem odbyliśmy z Bysiem naradę bojową. Od razu ustalililiśmy, że zawijamy tabletki, a diler obskakuje wychowawczy wpierdol. Darek B. proponował, żeby do Maka pojechała większa ekipa, na wypadek gdyby gość zaczął się stawiać, ale zaprotestowałem. Było oczywiste, że jak pojedzie większa grupa, to go chłopaki skatują do nieprzytomności i połamią mu gnaty. A na to chyba klient nie zasługuje. Nie było takiej potrzeby.

– Pojadę sam. Strzelę mu blachę w czoło i będzie po sprawie – oznajmiłem.

Bysio pokręcił głową, ale w końcu dał mi zielone światło.

W umówionym terminie stawiłem się pod hotelem. Mak był o tyle dobry do tej akcji, że nie trzeba było wchodzić do holu i przechodzić przez recepcję. Każdy pokój miał osobne wejście z dworu. Czyli zagrożenie, że ktoś zainteresuje się naszą transakcją, było minimalne.

Zapukałem, facet otworzył. Wpuścił mnie do środka i wręczył torbę z tabletkami ecstasy; było tego dwadzieścia tysięcy. Powiedziałem konfidencjonalnym szeptem:

– Zaniosę towar do samochodu i wracam z kapustą.

Gość był szczęśliwy, że tak łatwo poszło. Ostatecznie za chwilę miał dostać dwieście tysięcy złotych. Niezły urobek. Zrobiłem, jak obiecałem, z jednym małym ale. Wróciłem z pustymi rękami.

– Gdzie forsa? – zapytał, zaczynając coś podejrzewać.

– Słuchaj, frajerze, właśnie zostałeś wydymany – odparłem. – Mam prochy w bagażniku i co mi zrobisz? Jak się dzierga interesy z miastem, to trzeba się liczyć z takimi sytuacjami. Tylko się nie rzucaj, bo nic ci to nie da. Dostaniesz łomot, a może nawet przyjedzie psiarnia i nas zawinie. Na chuj nam taki epilog?

Popatrzył na mnie.

– Przecież i tak dostanę łomot – powiedział drżącym głosem. – Wy zawsze bijecie ludzi…

– Może i tak, ale co mi szkodzi zrobić wyjątek? Ostatecznie, nikt nas nie widzi. Powiem swoim, że ci skopałem dupę, a ty krzyczałeś wniebogłosy. Pasuje ci taka wersja?

Pokiwał głową. Doskonale wiedział, że już nic nie ugra, no może poza uniknięciem wizyty na ostrym dyżurze. Bo że dragi poszły się jebać raz na zawsze, nie ulegało wątpliwości. Nawet było mi go trochę żal, bo ostatecznie kontakt na niego dostałem od znajomego, a poza tym wiedziałem, że będzie miał wielkie problemy z tymi, którzy mu dostarczyli towar. Stracił dwieście tysięcy złotych, z czego absolutna większość miała trafić właśnie do nich.

Po tamtym spotkaniu facet wyjechał z Polski i o ile wiem, nie robił już tutaj interesów. Pytanie, czy jeszcze żyje.

ROZDZIAŁ 18

Strzały pod Makro

Wrogowie mafii pruszkowskiej oraz media były zachwycone – oto kilku leszczy związanych z grupą Dziada pogoniło osławionych urków z najsłynniejszej polskiej formacji przestępczej. A dwóch nawet posłało do szpitala. Strzelanina pod hurtownią Makro Cash w Alejach Jerozolimskich – bo o niej mowa – przeszła do historii rodzimej kryminalistyki, a szefom Pruszkowa uświadomiła, że nie należy lekceważyć żadnego przeciwnika. Tamten czerwcowy dzień 1996 roku miał być dla związanych z Masą gangsterów spacerkiem, a okazał się jednym z tych, które powracają w sennych koszmarach. To wtedy w przestępczym świecie zabłysła gwiazda Grzegorza K., pseudonim Tata (czasami Ojciec), który po latach zyskał złą sławę jako szef gangu obcinaczy palców. Pod Makro jego ludzie przeszli zwycięsko i niemal bez strat chrzest bojowy.

O co poszło?

J.S.: Strzelanina pod Makro miała miejsce w najgorętszym okresie wojny z Dziadem i Wariatem, ale właściwie stanowiła jej odprysk. Jak to często bywa, zaczęło się od drobnego kamyczka, który uruchomił lawinę. W 1996 roku Marek Cz. „Rympałek" trafił do puszki, a ja przejąłem sieroty, czyli chłopaków z jego grupy. Nawiasem mówiąc, pościąganie ich z różnych części kraju czy z zagranicy (bo niektórzy, obawiając się policji, poszli w długą) zajęło mi trochę czasu. Ale jak ich przemieszałem z innymi pruszkowiakami, udało mi się stworzyć naprawdę ostrą, fajną ekipę. W tym czasie kręcił się przy nas syn Zbigniewa S., czyli śląskiego Simona, młody Simon.

A.G.: Co to znaczy: kręcił się? Był synem znanego gangstera, więc na pewno splendor ojca się liczył…

J.S.: Zwąchał się z Bryndziakami i bardzo mu zależało, żeby wejść w narkotyki. Przyjeżdżał do Warszawy, brał towar i jechał na Śląsk, gdzie dragów po prostu brakowało. A u nas było ich pod dostatkiem. Oczywiście jacyś detaliści krążyli także tam, ale nie dysponowali towarem, na którym można by porządnie zarobić. Za którymś razem młody Simon, poprzez złodziei samochodowych, trafił jednak na dilerów Dziada.

A.G.: Dla kogo pracowali ci złodzieje?

J.S.: Dziad miał swoich, my mieliśmy swoich, ale zaskoczę cię – między złodziejaszkami nie było żadnego konfliktu. Kumplowali się, balowali razem, zupełnie jakby nie dotyczyła ich wojna Ząbek z Pruszkowem. To było zdrowe podejście, bo przecież chodziło o skuteczne zawijanie fur, a nie o rozlew krwi. Dopóki przynosili hajs komu trzeba, nikt się nie przypierdalał. Więc Dziadowi złodzieje załatwili młodemu Simonowi narkotyki. Temu coś się nie spodobało – pewnie jakość towaru była kiepska – i uznał, że chcą go dymnąć. Ostatecznie nie miał napisane na czole, czyim jest synem, więc pewnie ktoś stwierdził, że pojawił się młody frajer do ogolenia. Młody Simon, zamiast płacić, postanowił oddać towar. Wcześniej dał jedynie niewielką zaliczkę.

Tamci się nie zgodzili i jeszcze narzucili mu karę. Nie pamiętam, ile tego było, ale na pewno mowa była o pokaźnej sumie. Od słowa do słowa panowie umówili się pod Makro, żeby wyjaśnić sobie wszelkie nieporozumienia.

A.G.: Czemu akurat pod Makro?

J.S.: Może dlatego, że był tam duży parking i nasze spotkania nie rzucały się w oczy? To było jedno z naszych tradycyjnych miejsc, prawie jak Telimena na Krakowskim Przedmieściu. Czuliśmy się tam pewnie. A wracając do młodego Simona – jego problemem zainteresowały się Bryndziaki i pojechały razem z nim. Kiedy pojawiły się Dziadowe złodziejaszki, jeden natychmiast trafił do wora, a reszta usłyszała: „Wypierdalać i płacić karę! Dwie dychy koła papieru i nie ma dyskusji!". Jeniec trafił do dziupli jednego z naszych, jakiegoś domu w budowie, w stanie tak surowym, że tylko szczury mogły tam mieszkać. I mieszkały. Złodzieja wsadzono do piwnicy i dokładnie skrępowano. Po to, żeby nie przyszła mu do głowy myśl o ucieczce i – jak się okazało – żeby nakarmić szczury. Uprzedzając fakty: kiedy odzyskiwał wolność, miał wyżartą połowę pleców.

A.G.: Rozumiem, że musiał być w jasyrze przez długi czas…

J.S.: Nie doceniasz szczurów. Jak są głodne, zeżrą konia z kopytami w mgnieniu oka. Dla nieszczęśnika i tak okazały się łaskawe.

Po czterech dniach od uprowadzenia strony umówiły się na spotkanie, ponownie pod Makro. Ludzie Dziada mieli nam zapłacić karę, my zadeklarowaliśmy zwrot jeńca. Ale oczywiście nie od razu. Nikt z pruszkowskich nie spodziewał się, że może mieć miejsce zupełnie inny scenariusz.

A.G.: Zlekceważyliście przeciwnika? Pojechaliście małą ekipą?

J.S.: Wydelegowaliśmy trzech naprawdę ostrych chłopaków: Marcina B. „Bryndziaka", Damiana K. „Kotleta" i Jacka M. „Matysia". Normalnie wszyscy na ich widok robili w portki i mobilizacja większych sił nie była konieczna. Ale nie tym razem. Nasi nadziali się na zasadzkę. Ludzie Grzegorza K. „Ojca" przyjechali na akcję trabantem, przebrani w robocze fartuchy, z torbami na ramionach. Nikt nie dałby za nich złamanego grosza; to był dobry kamuflaż. Wypisz, wymaluj ekipa remontowa. Jak zobaczyli nasz tercet, od razu sięgnęli po kominy, znaczy po pistolety, i zaczęli walić. Bryndziak, Kotlet i Matyś nie spodziewali się takiego obrotu sprawy, ale cały czas jechali na kozaku, więc przeszli do ofensywy.

A.G.: Zacytuję słowa dziennikarza Rafała Pasztelańskiego, napisane kilka lat temu: „Zdaniem prokuratury, Grzegorz K. i jego koledzy chcieli porwać członka konkurencyjnej bandy, aby wymienić go na »swoich ludzi«. W strzelaninie ranny został Ojciec i dwóch pruszkowiaków. (...) Po tym wydarzeniu Grzegorz K. zyskał szacunek na prawobrzeżnej stronie stolicy. Trafił jednak do więzienia, gdzie poznał członków gangu mokotowskiego".

Strzelanina nastąpiła od razu? Nie było żadnych prób polubownego załatwienia konfliktu? Żadnych rozmów?

J.S.: Mnie tam nie było, ale wiem, że rozmowy ograniczyły się do grzeczności typu: „A żeż, wy frajerzy, zaraz was rozpierdolimy!". Pach, pach i już zaczęła się akcja. Trzeba przyznać, że byli dobrze przygotowani. Mieli nawet w swoich szeregach byłego antyterrorystę. Do jednego z nich podszedł Kotlet i chwycił go za rękę, w której tamten trzymał broń. Kompletny debilizm, choć nigdy nie twierdziłem, że w grupie pruszkowskiej byli sami filozofowie! Akurat w tym wypadku poszczęściło się chłopakowi, bo wyrwał pistolet i zaczął strzelać. Tymczasem kulkę dostał Matyś. Padł na ziemię i zaczął się wić jak piskorz między pestkami. Doskoczyło do niego dwóch ludzi Ojca, którzy zawinęli go do trabanta. Teraz w zakładnikach było jeden do jednego. Ranny został także Kotlet, choć przez cały czas się ostrzeliwał. W końcu jednak, widząc, że został sam na placu boju, zaczął uciekać.

A.G.: Jak to: sam? Był przecież jeszcze Bryndziak!

J.S.: Tak się składa, że Marcinek od razu dał w długą, wskoczył do samochodu i odjechał. Taki był z niego kozak! Uciekający Kotlet nie wiedział, co począć. Waliła z niego krew, a samochód kompana oddalał się jak na przyśpieszonym filmie. Na szczęście ludzie Dziada, obawiając się policji, także szybko zmyli się z miejsca akcji. W końcu Kotlet dodzwonił się do Bryndziaka i ten zawrócił pod Makro. Od razu zawiózł kumpla do szpitala na pruszkowskim Wrzesinie. Zjawiła się tam również ekipa, na czele z Parasolem, który natychmiast zaczął blatować lekarzy – żeby się przyłożyli i nie puścili policji farby. Na szczęście rana nie zagrażała życiu Damiana.

A.G.: Czy już wtedy, nad łóżkiem rannego, podjęliście decyzję o krokach odwetowych?

J.S.: Parasol od razu wydał rozkaz: „Zabić więźnia", czyli tego chłopaka od Dziada, którego zawinęliśmy kilka dni wcześniej. Bryndziak, który dostał to zlecenie, zadzwonił do mnie i zapytał, co ma robić. A ja mu na to: „Nie słuchaj Parasola, tylko mnie. Nie masz prawa go odjebać, bo to się źle skończy dla wszystkich!". Swoją wolę przekazałem też Jackowi R. „Sankulowi", który miał nadzorować przetransportowanie jeńca w inne miejsce. Takie, w którym nie zagrażałby mu Parasol. Tyle że jakimś trafem chłopakowi udało się uciec z niewoli. Nie mam pojęcia, jak on to zrobił, bo był naprawdę w tragicznym stanie. Ale bardzo dobrze się stało, bo był dla nas balastem. Bałem się tego, że któremuś z naszych coś odwali, i odstrzelą chłopaka, ot tak, dla przyjemności. To już były czasy, kiedy zabijano z byle powodu.

A.G.: Powróćmy do momentu, gdy kończy się strzelanina i ludzie Ojca odjeżdżają z miejsca zdarzenia z Matysiem jako jeńcem wojennym…

J.S.: O tym, co się stało, dowiedziałem się między innymi z telewizji. Do mediów szybko trafiła informacja o bandytach w trabancie, którzy sterroryzowali policję. Mieli mianowicie pecha, zatrzymał ich patrol. Niewiele się zastanawiając, wyciągnęli broń i obezwładnili mundurowych. Ten zbieg okoliczności uratował życie Matysiowi, który skorzystał z zamieszania i dał w las. Oprawcy odpuścili sobie pościg; teraz mieli większy problem, bo przecież napadli zbrojnie na funkcjonariuszy policji. Szybko odjechali i na najbliższej stacji benzynowej pozbyli się broni. Ale tu wyszła ich amatorszczyzna, bo pozwolili się sfilmować kamerze przemysłowej.

A.G.: Zatrzymano ich pewnie tego samego dnia?

J.S.: Może dzisiaj tak by to wyglądało, ale wtedy organy ścigania były odrobinę mniej skuteczne w działaniu. A jakość systemu wideo też pozostawiała wiele do życzenia. Oczywiście, że nie zatrzymano ich od razu, ale dopiero po jakimś czasie, kiedy podałem policji namiary na napastników.

A.G.: Skąd wiedziałeś, kto to zrobił? Od Kotleta?

J.S.: Nie. To była ekipa, której za dobrze nie znaliśmy. Zadzwoniłem do Cichego, który latał u Dziada, ale był też moim znajomym, i mówię: „Wypuścimy waszego człowieka, ale musisz mi wystawić gości, którzy strzelali pod Makro".

A.G.: Przecież mówiłeś, że jeniec uciekł...

J.S.: Ale Cichy jeszcze o tym nie wiedział. Dlatego jak mu przedstawiłem ponurą wizję udręczonego człowieka, zaczął pucować. Później zadzwoniłem do jednego. „Dojedziemy was, kurwy, wasze dni są policzone!", mówię. A on na to: „Taki jesteś mocny? To się z nami spotkaj. Podaj czas i miejsce, to się zabawimy. Pękasz?".

Umówiliśmy się na drodze w okolicach Szczecina. Ja wtedy ukrywałem się na Mazurach (mówiąc gangsterskim slangiem:

wybiłem się z miasta niemal od razu po zajściu pod Makro, bo policja dała mi cynk o planowanych wjazdach), ale poprosiłem ludzi z Pomorza Zachodniego (konkretnie Pastora), żeby dojechali frajerów Dziada. Oczywiście do niczego nie doszło, bo Dziadowi byli mocni wyłącznie w gębie, a i to przez telefon. Nie przyjechali. Jakiś czas później przekazałem listę ząbkowskich uczestników strzelaniny pod Makro policji. Zostali zapuszkowani. W 1999 roku usłyszeli długoletnie wyroki; jeden z uczestników, Andrzej B., dostał 15 lat. Naszych uznano za poszkodowanych.

ROZDZIAŁ 19

Starcie z Titanem

– Posłuchaj, Jarek, są do wyciągnięcia duże pieniądze. Naprawdę duże.

– Jest ryzyko?

– Ryzyko jest zawsze, ale w tym wypadku minimalne. Łatwa duża kasa.

– Lubię takie interesy. O co chodzi?

– O przejęcie Titana.

Był 1997 rok. Na spotkanie z Masą w rzekomo bardzo ważnej sprawie umówił się Janusz Z. „Ziółek", facet z autentyczną smykałką do robienia pieniędzy, a poza tym niezwykle ustosunkowany, nie tylko w kraju, ale i za granicą. Propozycja wydała się ciekawa, bo oferent rzadko kiedy trafiał kulą w płot.

Po wstępnych deklaracjach przyszedł czas na konkrety.

– Titan to piramida finansowa – powiedział Ziółek, sięgając po szklaneczkę z whisky. – Jest tego sporo na rynku, ale nam wystarczy jedna. Zgromadziła już sporo kasy, wystarczy.

– Wiem, o co chodzi, tyle że to dość ryzykowny biznes. Ile musiałbym zainwestować?

– Nie żartuj! Ty masz ciągnąć kasę, a nie ją wkładać. Trzeba po prostu przekonać paru gości, że teraz my będziemy rozdawać karty.

– Jak?

– No wiesz... Kowalski może by nie umiał tego zrobić, ale pruszkowscy już niejednego przekonali do swoich racji.

– Zawijamy kogoś, oprawiamy?

Zanim wytłumaczył, na czym polega myk, Ziółek patrzył przez chwilę z uśmiechem na słusznych gabarytów rozmówcę.

– Tym razem trzeba będzie trochę pogłówkować... To nie gadka o zawijaniu tirów, tylko o nieco bardziej wyrafinowanej operacji. Ale co to dla nas, harcerzy?

* * *

Żądza pieniądza, która ogarnęła polskie społeczeństwo w latach 90., jest dzisiaj dla wielu trudna do wyobrażenia. Cóż, ludziom przez lata pozbawionym możliwości zarabiania dużych pieniędzy wydawało się wówczas, że fortuna leży na ulicy. Że wystarczy się schylić – zagrać na giełdzie albo zdeponować środki w jakiejś Bezpiecznej Kasie Oszczędności, albo zainwestować w jedną z piramid finansowych. Te ostatnie (a także firmy sprzedające pewien asortyment towarów, zorganizowane na podobnej zasadzie) wyrastały w latach 90. jak grzyby po deszczu. Ich przedstawiciele, przyoblekający się w szaty proroków nowego ładu ekonomicznego, organizowali masowe spędy, na których przedstawiali gawiedzi szanse na wzbogacenie się bez wysiłku. Podczas wykładów „nowej ekonomii", które tak naprawdę były kaptowaniem naiwniaków, przedstawiano argumenty za przystąpieniem tak przekonujące, a przewidywane zyski tak niebotyczne, że w sieć złapało się wielu Polaków. Bo czy może być lepszy interes od zainwestowania relatywnie niewielkiej sumy, powiedzmy tysiąca marek (a nierzadko znacznie mniejszych pieniędzy), a potem nicnierobienia i odcinania imponujących kuponów od wkładu? Oczywiście że nie, tym bardziej że o zyskach zapewniali prelegenci „przybywający z Zachodu". Wielu posługiwało się łamaną polszczyzną z wyraźnym amerykańskim akcentem, co miało pomagać w budowaniu wiarygodności. A że po wykładzie, w rozmowach z zaufanymi, mówili najczystszą polszczyzną? To już zupełnie inna sprawa...

Piramidy były jedną wielką iluzją, choć w realu pozwalały zarobić krocie. Tyle że wyłącznie organizatorom procederu. Kowalski był przegrany już na starcie, choć jego pieniądze stanowiły wkład bezcenny. A im więcej Kowalskich...

Schemat działania cechowała niezwykła prostota. Wydawało się, że na tej inwestycji trudno stracić.

Oto znaleziony w Internecie artykuł Michała Milewskiego, w skrócie przedstawiający istotę funkcjonowania piramid finansowych.

„Zasada działania piramidy finansowej jest następująca – nowi członkowie finansują swoimi wkładami zyski członków, którzy zainwestowali wcześniej. Piramida może więc działać tak długo, jak długo pozyskuje wystarczająco dużo nowych środków, by zaspokajać dotychczasowe zobowiązania. Taki model działania jest nie do utrzymania na dłuższą metę. W pewnym momencie piramida wali się, a inwestorzy tracą powierzone pieniądze.

Oczywiście, fakt bycia piramidą finansową jest najpilniej strzeżoną tajemnicą takiej spółki. Ujawnienie jej charakteru oznacza natychmiastowy upadek (nikt nie chce inwestować nowych środków, wszyscy próbują odzyskać dotychczas zainwestowane pieniądze).

Jak poznać piramidę finansową? Zwróć uwagę na poziom zysku lub zwrotu z inwestycji. Jeśli jest znacznie wyższy niż w przypadku lokat bankowych albo obligacji skarbu państwa, a jednocześnie »w stu procentach gwarantowany«, w twojej głowie powinna zapalić się żółta lampa ostrzegawcza. Im bardziej zyskowna inwestycja, tym większe ryzyko. Jeśli ktoś próbuje je ukryć, nie działa uczciwie".

Jeśli podczas wspomnianych prelekcji ktokolwiek wyrażał krytyczną opinię czy choćby drobną wątpliwość, od razu sprowadzano go do parteru jako relikt socjalistycznego wychowania. Bo przecież na Zachodzie takie piramidy uczyniły miliony milionerami! Dlaczego w Polsce miałoby być inaczej? Trzeba tylko więcej wiary!

Spotkania często organizowano w miejscach najbardziej prestiżowych, jak choćby warszawska Sala Kongresowa. Mało komu przychodziło do głowy, że dostojna fasada może służyć perfidnemu przekrętowi.

Na samym szczycie piramidy znajdował się jej szef. To on czerpał największe zyski, w najróżniejszych walutach, z nierzadko międzynarodowego przedsięwzięcia, organizowanego na wielką skalę. W przypadku Titana szefostwo regionalne sprawował triumwirat – trzech facetów, którzy wpłacili szefowi po tysiąc marek każdy, odpowiedzialnych, by sieć rozprzestrzeniała się jak najszybciej. Każdy miał także pod sobą kolejną trójkę; jej członkowie również inwestowali po tysiąc marek, które trafiały do centrali wypłacającej dolę triumwiratowi – po pięćset marek na łba, z czego pewna część trafiała na niższy poziom. I tak to szło, z góry na dół. Gdy rosła liczba chętnych do golenia, rosły również zasoby na koncie triumwiratu.

Mechanizm funkcjonowania piramidy przedstawiono, naturalnie, w ogromnym skrócie. Analiza systemu rozliczeń pomiędzy poszczególnymi jej poziomami to materiał na całkiem sporą książkę.

W każdym razie rzeczywistymi beneficjentami układu byli szef oraz triumwirat. Przy czym szef w o wiele większym stopniu.

Titanowi szefował Jugosłowianin z niemieckim paszportem, urzędujący w hamburskim biurze. Drobni ciułacze, którzy zdecydowali się na udział, nie mieli nawet cienia szansy, by kiedykolwiek uścisnąć jego dłoń. Ale przecież nie o to chodziło.

Plan Ziółka zakładał przejęcie polskiego Titana, co oznaczało, że z interesu musi wypaść miejscowy triumwirat. Jak? Niestety, prośby nie odniosą skutku.

Trzeba umiejętnie przycisnąć.

J.S.: Gra szła o naprawdę wielkie pieniądze; polski oddział Titana wygenerował około sześciu milionów marek. Tyle należało się tym trzem pacjentom, których postanowiliśmy wysłać do diabła.

A.G.: Czyli tradycyjnie do Suchego Lasu?

J.S.: Nie. Przewidzieliśmy dla nich nieco inne atrakcje. Bardziej rozciągnięte w czasie i cholernie dotkliwe. Pomogli nam zaprzyjaźnieni policjanci z ulicy Wiśniowej w Warszawie. Zatrzymali ich i aresztowali.

A.G.: Nie aresztuje się chyba gości ot tak, bo pan Masa ma taki kaprys? Musiały być jakieś konkretne powody.

J.S.: A czy o nie tak trudno? Powiem ci, jak to wtedy działało, choć nie twierdzę, że akurat ten patent przysłużył się w przypadku klientów z Titana. Policjant zatrzymywał auto delikwenta i pod byle pretekstem wsiadał do środka. Zaglądał pod fotel i cóż tam znajdował? Woreczek z prochami. „To twoje?", pytał kierowcę i podawał mu znalezisko. Ten, niewiele myśląc, wyciągał łapy, żeby zobaczyć z bliska, co to takiego. Nie powinien, ale na odruchy nie ma rady. W ten sposób zostawiał ślady linii papilarnych, a psom tylko o to chodziło. I tak niewinny wolny człowiek zamieniał się w winnego i zapuszkowanego.

A.G.: Rozumiem, że wobec trójki z piramidy udało się zastosować podobny fortel. Ale czy nie można było inaczej, po dobroci? Może zgodziliby się na współpracę bez takich represji?

J.S.: Próbowaliśmy, ale nie byli zainteresowani. Wiesz, jak się ma w perspektywie taką kasę, traci się poczucie rzeczywistości. Wydawało się im, że są mocniejsi od pruszkowskich, a my akurat wtedy byliśmy u szczytu potęgi. Dlatego musieli dostać po dupie. Policja nam w tym bardzo pomogła, fakt, ale oczywiście nie za darmo. Dogadane z nami chłopaki miały obiecaną działkę.

A.G.: Policja na długo nie zatrzymuje. Czterdzieści osiem godzin i do domu.

J.S.: Zgadza się, ale myśmy mieli też układy z prokuraturą i sądami. Tak czy inaczej panowie trafili do puszki na Białołęce. A że tamtejszy naczelnik również był zaprzyjaźniony, dostali wyjątkowo podłe cele. Takie, żeby zmiękczyć. Bądźmy szczerzy, zamieniliśmy ich życie w piekło.

Ceną za wolność było odpuszczenie biznesu.

Natychmiast skontaktowaliśmy się z ich żonami i zaprosiliśmy je na negocjacje do Yacht Clubu na Wale Miedzeszyńskim. Nasza oferta była klarowna – zapuszkowani mężowie rezygnują z udziałów w Titanie, a panie płacą nam dwieście pięćdziesiąt tysięcy marek jako należność za uwolnienie towarzyszy życia. Na biednych nie trafiło, więc układ wydawał się całkiem uczciwy. Przy okazji wynikł jednak problem – kiedy o sprawie dowiedzieli się Słowik i Wańka, od razu postanowili coś uszczknąć dla siebie. Chcieli podwójnego opodatkowania. Nawet spotkali się z kobitkami i coś tam im naobiecywali. Ale wtedy twardo się postawiłem. Powiedziałem: „To mój interes i wy się do niego nie wpierdalajcie. Bo skończy się tak, że nikt niczego nie zarobi". Niechętnie, ale machnęli ręką.

Żony zapuszkowanych wyskoczyły z kasy, ale mężowie odzyskali wolność dopiero za jakiś czas.

A.G.: Dlaczego? Przecież po takiej gehennie nie mieli chyba ochoty przechodzić przez to samo po raz drugi? Albo i przez coś znacznie gorszego.

J.S.: Byli nam potrzebni jako coś w rodzaju zakładników, bo pojechaliśmy do Hamburga, żeby przedstawić Jugolowi stan jego interesów w Polsce. A przyznasz, że lepiej się negocjuje z pozycji siły?

A.G.: Silni to wy byliście nad Wisłą, ale w Niemczech szef Titana mógł wam utrzeć nosa. Biorąc pod uwagę charakter jego biznesu, miał pewnie kontakty z tamtejszym półświatkiem.

J.S.: Masz rację, ale my przygotowaliśmy się na taką ewentualność. Jeden z moich ludzi, bywały w świecie Krzysztof Sz., zaofiarował się, że porozmawia z pewnym Albańczykiem, niezwykle skutecznym w negocjacjach podwyższonego ryzyka. Mówiąc wprost: z osławionym albańskim mafiosem, którego nazwisko budziło grozę i na Bałkanach, i w Niemczech. Zresztą w wielu krajach był poszukiwany listem gończym.

Albańczyk, nazwijmy go Burim, nie bawił się w dyplomację i kurtuazję. Był znany z tego, że na opornych klientów ma jeden argument – gigantyczny, wyjątkowo ostry sekator. Ucinał nim głowy. Jugol, do którego jechaliśmy, na pewno o tym wiedział. Z Burimem spotkaliśmy się na hamburskim lotnisku. Wsiedliśmy do taksówki i ruszyliśmy do biura szefa piramidy.

A.G.: Jak was przyjął?

J.S.: Nie twierdzę, że było wino, kobiety i śpiew, ale dość szybko doszliśmy do porozumienia. Nie zapominaj, że dla niego sytuacja z zapuszkowanymi polskimi partnerami też nie była komfortowa. Ostatecznie nie spływały do niego żadne pieniądze. A co za różnica, kto wchodzi w skład triumwiratu? Przekazanie nam polskiej struktury Titana kończyło dla Jugola czas finansowej posuchy. Oczywiście on też wisiał polskiej filii sporo kasy, wspomniane sześć milionów marek, więc dostał polecenie szybkiej spłaty. Gwarantem przekazania forsy miał być Burim, a raczej cała jego grupa. Albańczyk dysponował takimi harpagonami, że nie chciałbyś ich spotkać. Nawet na oświetlonej ulicy.

A.G.: Nie musisz mnie przekonywać. O albańskiej mafii zrobiło się głośno w latach 90., gdy kraj zrzucił z siebie komunistyczną dyktaturę, za jednym zamachem stając się rajem dla gangsterów. Dotyczyło to również albańskiego Kosowa, które po wyjściu z Serbii, pod protektoratem NATO, przekształciło się w coś w rodzaju republiki bananowej. Czy raczej: narkotykowej. Byłem tam kilkukrotnie podczas wojny i miałem okazję widzieć, jak do głosu dochodzą nie intelektualiści, ale postacie z szemranym rodowodem.

Albańscy gangsterzy zawsze słynęli z brutalnych metod rozliczania się z przeciwnikami. Poza tym stanowili grupę niezwykle mobilną; nie ograniczali się do własnego kraju, ale szukali przyczółków po całej Europie Środkowej. Także w Chinach czy w Izraelu. Dobre kontakty utrzymują zwłaszcza z neapolitańską camorrą.

Skoro już mówimy o Titanie, warto wspomnieć, że również w Albanii działały podobne struktury, i to na wielką skalę. Ich upadek doprowadził nawet do ogromnego wybuchu społecznego. W styczniu 1996 roku szefowie dwóch największych piramid – Gjallica i Xhaferii – wywieźli (motorówką) z kraju gigantyczne pieniądze i rozpłynęli się we mgle. Struktury zaczęły się sypać, „inwestorzy" wyszli na ulice. Upadek rządu to drobiazg; w Albanii polała się krew i doszło do zamieszek przypominających wojnę domową. Zginęło kilka tysięcy ludzi. Buntownicy splądrowali wojskowe magazyny, więc czarny rynek zalały olbrzymie ilości broni, które trafiły później do rąk gangsterów. Pamiętasz tamtą rebelię? Trwała ponad rok...

J.S.: Pamiętam. Na szczęście w Polsce do niczego podobnego nie doszło. Tam prawie całe społeczeństwo uwierzyło w bajkę o złotej kurze, która sra cennymi jajkami, u nas naiwnych było trochę mniej. Poza tym większość naszych nie wyprztykała się z całych oszczędności, podczas gdy Albańczycy oddawali piramidom wszystko, co mieli.

A.G.: Powróćmy do waszego dealu z Jugolem…

J.S.: Jugol był zesrany i godził się na nasze warunki. Teraz wszystko zależało od windykacyjnych umiejętności Albana. Wyjeżdżając z Niemiec, miałem poczucie, że zaraz będę bardzo bogatym człowiekiem. A kiedy przyszła pierwsza wpłata, fakt, jakiś ochłap, około dwustu tysięcy marek, mój entuzjazm sięgnął zenitu. Czekałem na kolejną transzę, wyobrażając sobie, jak godzinami przeliczam kasę. Tymczasem nie zobaczyłem już ani grosza więcej. Burim wydymał nas bez mydła – zawinął lwią część i znikł. Nie bał się nas, bo grał na swoim terenie i gówno mogliśmy mu zrobić. Na szczęście ja się uczuciowo nie przywiązywałem do biznesów. Miałem tyle innych źródeł dochodu, że jakoś przebolałem Titana. Poza tym nie było innego wyjścia.

A zresztą piramida wkrótce padła.

ROZDZIAŁ 20

Loża dla spragnionych

J.S.: Dość szybko zorientowałem się, że pieniądze zarobione na gangsterce trzeba zalegalizować i stworzyć coś, co pozwoli i mnie, i mojej rodzinie żyć na wysokiej stopie przez następne lata. Jednym z moich pomysłów na biznes była gastronomia, najlepiej połączona z rozrywką. Wprawdzie wielu kojarzę się głównie z warszawską dyskoteką Planeta czy pewną firmą specjalizującą się w produkcji soków owocowych, ale miałem na koncie o wiele więcej podobnych inwestycji. Być może prowadzonych nie z takim rozmachem i zadęciem jak wymienione, ale też z dobrymi perspektywami. Poza tym: ciszej jedziesz, dalej zajedziesz, jak mawiają Rosjanie.

Moim przybocznym do tych spraw był Adam P., pseudonim Łysy. Nigdy nie uważałem go za członka grupy pruszkowskiej, a jedynie za chłopaka, który potrafił bardzo sprawnie balansować pomiędzy tym, co dozwolone prawem, a tym, co niby zakazane. Takich doradców miałem zresztą więcej – Polska lat 90. była naprawdę krajem ludzi obrotnych i cwanych. Powiedzmy, że Łysy był moim wspólnikiem przy rozkręcaniu legalnych interesów, choć, oczywiście, nigdy nie był to układ fifty-fifty. Jak trzeba było podziałać na czarnym rynku, też sprawdzał się doskonale. Choćby przy handlu narkotykami.

Na pewien czas wyjechał za Wielką Wodę, podobnie jak tysiące innych rodaków. Nie wiem dokładnie, czym się tam zajmował, ale podejrzewam, że nie zrywał azbestowych dachów. Na czymś się tam dorobił i wrócił do kraju jako atrakcyjna partia dla środowisk biznesowych. Oczywiście mowa o szemranym biznesie, takim na pograniczu prawa. Jednym z przedstawicieli tego sektora był Janusz Z. „Ziółek", który, podobnie jak ja, interesował się branżą gastronomiczną. Zwykły kryminalista, ale z biznesowymi aspiracjami.

W drugiej połowie lat 90. udało mu się przejąć restaurację na warszawskim Żoliborzu po jednym z szefów Art-B, Bogusławie B. Od ucieczki tego ostatniego z kraju w 1991 roku lokal podupadał, aż wreszcie został zamknięty.

Ziółek uznał, że tchnie w budę nowe życie, ale brakowało mu tego, co w takiej sytuacji bywa pomocne: pieniędzy i dostatecznego know-how.

I nagle trafił mu się Łysy! Jego kompan z czasów młodości, spędzonej w podwarszawskim Błoniu. Który akurat szuka pomysłu na zagospodarowanie swojego siana.

Od słowa do słowa panowie uzgodnili, że wchodzą w biznes jako partnerzy, i już za chwilę otwierali lokal, który zresztą szybko zyskał renomę. Może nie w środowiskach artystycznych, ale na pewno w gangsterskich. Bywali tam chętnie i balangowali bossowie Wołomina, czyli Lutek i Klepak, oraz ich przyboczni, jak choćby Fragles (Krzysztof M., były antyterrorysta, zastrzelony przez policję w 2002 roku podczas próby zatrzymania – przyp. A.G.). Nie chcę precyzować, o jaką restaurację chodzi, bo działa po dziś dzień i może nie warto przyklejać jej mafijnej etykiety.

No ale jako że rzecz się działa w środowisku szlachetnym inaczej, Ziółek dość szybko postanowił wyślizgać Łysego z biznesu. Korzystając ze swoich znajomości w Wołominie, zastraszył Adama i wygonił go z lokalu, oczywiście nie oddając ani grosza.

Tyle że albo nie wiedział, albo zapomniał, że Łysy też nie wypadł sroce spod ogona. I że ma przyjaciół w innym podwarszawskim mieście, Pruszkowie. Adam przyjechał do mnie i przedstawił problem, a ja obiecałem mu, że zrobimy porządek z Ziółkiem. „Nie ma chuja na Mariolę, zaraz pogadamy z frajerem", powiedziałem i zmontowałem ekipę uderzeniową. Wystarczyło kilku chłopaków. W tamtym czasie samo hasło „nadciąga Pruszków" powodowało u nielojalnych kontrahentów drżenie serca.

Wprawdzie Ziółek był też i moim znajomym, nawet kręciliśmy razem różne lody, o czym później, ale w tej sytuacji stanąłem po stronie Łysego.

Przyjechałem do restauracji; Janusz Z. był na zapleczu, gdzie siedział nad jakimiś papierami. Normalnie dostałby w japę, ale kiedy mnie zobaczył, zbladł jak ściana. Od razu wiedziałem, że przemoc fizyczna nie będzie potrzebna. Kiedy na niego wrzasnąłem, skulił się jak pies, nad którym zawisł kij, i zamknął oczy. Było jasne, że od tego dnia lokal należy wyłącznie do Łysego. A raczej do Łysego i do mnie. Bo prawdę mówiąc, spodobała mi się ta restauracja, więc przyszło mi do głowy, że jeśli wzbogacę swoje portfolio o jeszcze kilka innych lokali, stanę się potentatem. A przecież o to mi chodziło.

Miejsce to stało się dla mnie tak ważne, że spędziłem w nim sylwestra 1998 roku.

W tamtym czasie zaczęliśmy z Łysym tworzyć sieć lokali, o której tak bardzo marzyłem. Ja dawałem kapustę, Łysy odpowiadał za logistykę, natomiast bezpieczeństwo naszych knajp pozostawało w gestii Mirosława Z. „Pancernika", byłego policjanta. Ten ostatni to ciekawa postać. Po odejściu ze służby zaczął robić rozmaite szemrane interesy, między innymi z byłym wicepremierem Ireneuszem S. Był też świadkiem w sprawie zabójstwa generała Papały. Pancernik zginął śmiercią tragiczną, podczas nurkowania w Egipcie w 2000 roku. W naszej ekipie znalazł się także mój przyboczny od załatwiania pozwoleń w urzędach, Mały Krzyś, czyli Krzysztof M.

Chwilę później dostaliśmy lokalizację w Pałacu Kultury i Nauki. W holu głównym. Proszę sobie tylko wyobrazić: mafia otwiera grecką restaurację w tak prestiżowym i odwiedzanym miejscu! Dlaczego grecką? A dlaczego nie? W tamtym czasie Polacy chłonęli kulinarną egzotykę, a kuchnia znad Morza Egejskiego była czymś nowym i kuszącym. Inna sprawa, że nasza knajpa stanowiła krok w kierunku grecko-tureckiego pojednania; serwowaliśmy również specjały tureckie, i to nie tylko kebaby. Otwarcie lokalu uświetniła wielka gwiazda czeskiej piosenki Helena Vondračkowa. Bardzo piękna kobieta...

Niestety, restauracja nie była sukcesem finansowym, choć uzyskaliśmy zapewnienie dyrekcji pałacu, że firmy mające w nim biura będą zamawiały u nas catering. Gdyby tak się stało, pieniądze popłynęłyby szerokim strumieniem. Ale widocznie pracownicy Polskiej Akademii Nauk (PAN ma liczne oddziały w PKiN – przyp. A.G.) nie gustowali w greckich smakołykach. Ich strata. No, moja też.

Ostatnim naszym przybytkiem był nocny klub Kokomo na ulicy Pankiewicza. Chciałbym poświęcić temu miejscu kilka słów,

Fot. Marcin Łobaczewski /Agencja Super Express/East News

zupełnie niezwiązanych z mafijnymi porachunkami. Wręcz przeciwnie. Chciałbym przypomnieć miejsce, gdzie opadała agresja, a rosło coś zupełnie innego. Przynajmniej w przypadku facetów.

Bądźmy szczerzy, Kokomo było po prostu burdelem. Najlepszym w mieście, choć z ofertą artystyczną. Czy raczej rozrywkową. Mam na myśli taniec erotyczny, który w naszym lokalu stał na bardzo wysokim poziomie. I to nie tylko za sprawą kunsztu tanecznego pań, ale głównie ich urody oraz seksualnego temperamentu. To były takie laski, które nocą przeginały się w klubie, a rano biegły na sesję zdjęciową do „Playboya". Nie każdego było stać, aby je zaprosić na prywatną sesję taneczną, ale u mnie pojawiali się z reguły bardzo zamożni faceci. I oni korzystali z życia w wersji lux. Jak im było mało pięknych kobiet i najlepszych alkoholi, bez problemu mogli dostać u nas kokainę.

Wprawdzie oficjalnie Kokomo nie było agencją towarzyską, ale jak ktoś chciał pobzykać tancerkę, mógł to zrobić w loży. Wystarczyło, że zapłacił kilka stówek papieru Łysemu, a ten udostępniał bardzo komfortowe warunki do erotycznych figli. Dziewczyny nie odmawiały, bo w ten sposób mogły zarobić więcej niż na samym tańcu.

Kiedy przyjeżdżałem wraz z przyjaciółmi na ruchanie, zamykaliśmy klub i rżnęliśmy panie, gdzie się dało. Nawet na stołach. Ostatecznie każdy mebel jest dobry, jeśli tylko da się na nim położyć kobietę...

Jedna z nich, ruda Ewka, była moją, jak by to powiedzieć... Kochanką? Może to nie najwłaściwsze określenie, ale wobec niektórych dam nie lubię używać słowa „dupa" czy „materac". Zanim przekazałem ją innemu gangsterowi z grupy pruszkowskiej, zdążyliśmy kilka razy odbyć podróż do nieba i z powrotem. Zresztą nie tylko z nią; ja te podróże lubiłem od zawsze i drogę znałem na pamięć. Bo jeśli sądzicie, że ja kobiety tłamsiłem, upokarzałem i dbałem wyłącznie o własne potrzeby, jesteście w grubym błędzie. Owszem, przyznaję, zdarzały mi się sytuacje, w których zmuszałem panienki do zrobienia mi loda i do widzenia, ale wolałem seks nieco bardziej wyrafinowany.

Rozkosz na twarzy partnerki zawsze dawała mi cholerną satysfakcję. Nawet jeśli była to partnerka tylko na jedną noc. A kobiety, z którymi się zadawałem, przeważnie miały wysokie oczekiwania. Znały smak chleba z wielu pieców (przepraszam producentów pieczywa za tę przenośnię) i nie dawały sobie wcisnąć lipy. No, tak... Nie lipę im wciskałem, fakt.

Niektórym wystarczało tradycyjne pukanie, byleby partner nie kończył za szybko, inne lubiły seks z zabawkami. Wibrator ceniła większość dziewczyn, a niektóre nawet prosiły, żeby wciskać im to urządzenie we wszystkie możliwe otwory. Cóż było robić?

W tym miejscu pozwolę sobie na małą dygresję. Zachęcony rozbuchaną promocją sięgnąłem po skandalizującą rzekomo powieść *Pięćdziesiąt twarzy Greya*. Poszedłem nawet na film. I to ma niby być skandal? To opowiastka dla pensjonarek, pisana przez pensjonarki o tym, jak wyobrażają sobie ostry seks. Jeśli naprawdę interesuje was seks bez granic, postarajcie się o machinę czasu i przenieście się w lata 90. A konkretnie w miejsca, w których pukali pruszkowscy gangsterzy. Grey nie miałby czego szukać, a jego kobiety aż piałyby do rozrywek w stylu miasta!

Nieważne. Powróćmy do Kokomo.

Kilka razy musiałem się nawet przebierać w jakieś lateksowe kombinezony, bo akurat trafiłem na kobiety, które kręciła taka maskarada. Same też wskakiwały w stroje dostępne wyłącznie w sex-shopach i za cholerę nie pozwalały z siebie ich ściągać. Ale jako że kreacje były wyposażone w kilka otworów, trafiałem tam, gdzie miałem trafić. Niektóre panie domagały się też zakładania im kajdanek i napieprzania skórzanym pejczem; to akurat robiłem z dużą wprawą, zwłaszcza jeśli przed oczy przywołałem obraz oprawianego w lesie dłużnika... One pragnęły tego dla przyjemności. Błagały mnie na kolanach, abym bił mocniej, więc nie miałem wyrzutów sumienia, że pozostawiam je z krwawymi pręgami na plecach.

Jak widać, praktyka zdobyta podczas mafijnych porachunków bardzo się przydawała.

Kokomo trafiło mi się w samej końcówce mojego uczestnictwa w mafii, ale musisz przyznać, że takiego finału pozazdrościć mi może każdy!

ROZDZIAŁ 21

Gama czerwieni

Policjanci, którzy pojawili się w obskurnym garażu na 2122 North Clark Street, nie mogli uwierzyć własnym oczom. Na podłodze leżało kilka skąpanych we krwi ludzkich ciał. Wprawdzie wojna gangów w Chicago już od kilku lat przybierała na sile i niemal z dnia na dzień stawała się coraz bardziej brutalna, ale mało kto wierzył, że bossowie posuną się do mordu na taką skalę.

Dzień świętego Walentego w 1929 roku przeszedł do historii kryminalistyki jako nierozerwalnie związany z osobą domniemanego zleceniodawcy zbrodni – Ala Capone'a (choć jego rodzina po dziś dzień stara się obalić wersję o jego sprawczym udziale w masakrze). Ofiarami egzekucji okazali się członkowie irlandzkiego gangu George'a Bugsy'ego Morana. Śmierć poniosło siedem osób, w tym jedna przypadkowo. Optyk, doktor Reinhardt Schwimmer, nie miał nic wspólnego z przestępczością zorganizowaną, a po prostu pojawił się w niewłaściwym miejscu o niewłaściwej porze. Pozostałe ofiary wiedziały doskonale, jaki może je spotkać koniec.

I spotkał.

Gang Morana (wcześniej: Diona O'Baniona) od lat starał się zdobyć dominującą pozycję na gangsterskiej mapie Chicago, ale jego plany torpedowali Włosi kierowani przez Ala Capone'a. Wojna o wpływy – z alkoholu i hazardu – wstrząsała miastem nad Michigan, wzbudzając echa w całych Stanach Zjednoczonych. Kiedy Moran porwał się na samego Capone'a, ten zdecydował o zradykalizowaniu działań. Irlandczyk ocalił skórę wyłącznie dlatego, że pamiętnego dnia w garażu na 2122 North Clark Street po prostu go nie było. Capone nie wziął udziału w egzekucji, ale nikt – także w środowisku przestępczym – nie miał wątpliwości, kto za nią stał.

Walentynkowa masakra przetrwała w ludzkiej pamięci jako symbol wojny gangów w czasach prohibicji. Gdyby wówczas ktoś powiedział, że podobna jatka wydarzy się w Polsce dokładnie 70 lat później, zostałby pewnie uznany za szaleńca...

A jednak.

* * *

Policjantom z Komendy Stołecznej, którzy 31 marca 1999 roku przybyli do restauracji Gama na warszawskiej Woli, bez wątpienia stanęły przed oczami szkolenia z historii kryminalistyki. Podłogę lokalu zaplamiła krew pięciu zastrzelonych mężczyzn: Mariana K. „Mańka", Ludwika A. „Lutka" oraz trzech żołnierzy z ich grupy. Panowie najprawdopodobniej czekali na interesantów, być może w związku z planami przejęcia wpływów na kujawskim rynku papierosowym. Jeśli rzeczywiście nawet czekali na kogoś, doczekali się ludzi, których się nie spodziewali. Wczesnym popołudniem do Gamy wtargnęło trzech egzekutorów w kominiarkach, ubranych na czarno, którzy natychmiast

Fot. Piotr Grzybowski/Super Express/East News

otworzyli ogień do wołomińskich gangsterów. Strzelali z broni maszynowej i myśliwskiej. Jak głosi legenda, krew ofiar mieszała się z sokiem truskawkowym, wypływającym z pierogów, którymi raczyli się watażkowie.

Początkowo policja nie miała pojęcia, gdzie szukać zleceniodawcy, ale po jakimś czasie pojawiła się wersja, że za jatką stał Karol S. i jego grupa. S., niegdyś wierny współpracownik Mańka i Lutka, z czasem popadł w konflikt z bossami i rozpoczął z nimi wojnę.

Podobno policjanci zdawali sobie sprawę z tego, że polowanie weszło w najostrzejszą fazę. Otwarte pozostawało pytanie: kto będzie szybszy? Jeżeli jatkę rzeczywiście zorganizował Karol S., ponoć czekający w samochodzie w bocznej uliczce opodal Gamy, szybszy okazał się on...

A.G.: Choć o krwawych wydarzeniach w Gamie głośno jest po dziś dzień i nie mam wątpliwości, że pozostaną one symbolem brutalności polskiej mafii w latach 90., tak naprawdę wciąż nie wiadomo, dlaczego do nich doszło.

J.S.: Kto nie wie, ten nie wie...

A.G.: Mówię o wersji oficjalnej, o prokuratorskich ustaleniach. Za śmierć Lutka i Mańka oraz ich żołnierzy obciąża się odpowiedzialnością zbuntowanego gangstera Karola S. i jego ludzi. Na tym trop się urywa.

J.S.: Ty naprawdę wierzysz w to, że drobny bandziorek, bo przecież takim był Karol S., sam, z własnej inicjatywy porywa się na potężnych bossów kryminalnego podziemia i przeprowadza całą akcję bez wsparcia mafijnej góry?

A.G.: To przecież wykonalne. Zresztą istnieje wersja, że działał w porozumieniu z Baraniną, któremu Maniek i Lutek bruździli w interesach.

J.S.: Wykonalne, ale tylko w teorii. Zapewniam cię, że za tą jatką stali także pruszkowscy starzy. Baranina był za mały na wołomińskich. Już prędzej oni odpaliliby jego. Owszem, bliski kompan Mańka i Lutka, Janusz K., czyli Malarz, został odpalony przez Andrzeja G. „Juniora", który wziął sobie do pomocy dwóch Ruskich, czyli prawą rękę Baraniny, ale to zupełnie inna historia.

A.G.: Przecież wielokrotnie podkreślałeś, że starzy utrzymywali koleżeńskie relacje z wołomińskimi bossami. Robili z nimi interesy, wręcz się przyjaźnili!

J.S.: Ale także wielokrotnie podkreślałem, że na początku starzy lubili i mnie, i nawet Pershinga. A potem coś się popsuło i zaczęli na nas polować. Zaraz ci to wytłumaczę.

Ale od początku. Mniej więcej od 1997 roku ja i ludzie z mojego otoczenia robiliśmy przeróżne interesy z Ludwikiem A. i Marianem K. Jako że byli charakternymi facetami, współpraca układała się naprawdę dobrze. Rok później z puszki wyszedł Pershing i też załapał się na interesy z wołomińskimi. Podobnie zbliżył się z nimi niejednokrotnie przywoływany przeze mnie biznesmen Wojciech P. Szybko zaczęło się zawiązywać coś w rodzaju gangsterskiego holdingu, który skutecznie pomnażał pieniądze. Rzecz w tym, że starzy do tego tortu nie mieli dostępu. A jeśli nawet, to tym mściwym i zawistnym bestiom dostawały się wyłącznie okruchy.

A.G.: Ale przecież nie wchodziliście na terytorium starych? Temu, że ich biznes nie rozkwitał tak, jak by chcieli, winna była ich pomysłowość, a raczej jej brak. Mogli mieć żal wyłącznie do siebie.

J.S.: No ale starzy woleli mieć żal do innych. Po co posypywać głowę popiołem, skoro można poturbować głowy nieprzyjaciół?

A.G.: A skąd się w tej historii wziął Karol S.?

J.S.: On latał pod Lutkiem i Mańkiem. Przez długi czas był ich zaufanym. Miał zasady, był bardzo operatywny, nie powiem, miasto go szanowało. Działał na wszystkich mafijnych polach: tu porwał, tam sponiewierał, gdzieś nałożył haracz. Był jak kobieta pracująca, żadnej pracy się nie bał.

Bardzo się angażował w to, co robił, i uważał, że za swój wysiłek powinien dostawać największe pieniądze. Owszem, przestrzegał zasady, że bossom odpala się działkę, ale nie potrafił zrozumieć, dlaczego Lutek i Maniek żądają połowy. Karolowi się to po prostu nie opłacało, a poza tym było niezgodne z jego poczuciem sprawiedliwości. Próbował ich przekonać do swych racji, ale słyszał tylko: „Nie pierdol, a jak będziesz podskakiwał, to ci łeb odpadnie!". Z dnia na dzień coraz mniej podobała mu się współpraca z szefami gangu wołomińskiego, których zachowanie coraz bardziej przypominało starych. Na linii Karol–wołomińscy szybko zaczęło iskrzyć i stało się jasne, że zaraz poleje się krew. Wygra ten, kto będzie szybszy. Zupełnie jak w pojedynku rewolwerowców.

A.G.: Pierwszy akt dramatu rozegrał się już wkrótce, 14 grudnia 1998 roku w Warszawie. Na parkingu hipermarketu Géant przy Jubilerskiej.

J.S.: Dokładnie. Wieczorem w tym dniu wybuchła bomba pod mercedesem Mańka. Jego kierowca uruchomił silnik i wtedy nastąpiło wielkie bum! Piotr L. miał cholerne szczęście, został tylko ranny. Nie mam pojęcia, czy Karol S. chciał zabić Mańka, czy go ostrzec. Jeśli to drugie, spieprzył temat. W porachunkach gangsterskich na tym szczeblu nie wysyła się znaków ostrzegawczych, ale wręcza przeciwnikowi bilet do piekła. Ruszyła lawina.

Panowie zaczęli się szukać, przy czym Karol nie zamierzał stać się zwierzyną łowną i cały czas atakował. W styczniu 1999 roku jego ludzie zabili w Aninie związanego z Mańkiem gangstera o pseudonimie Baniak. Inni zostali ciężko ranni. Dwa miesiące później, pod warszawską restauracją TGI Friday's, zginął Piotr W. „Kajtek", zaufany Mańka. Przy okazji śmierć poniósł niewinny przechodzień, dlatego zdarzenie szeroko relacjonowały media.

A.G.: Na miejscu Mariana K. i Ludwika A. poważnie zacząłbym się obawiać Karola S. Ale wciąż nie widzę związku człowieka z pruszkowskimi starymi.

J.S.: Mniej więcej w tym czasie do Pershinga doklepał Andrzej Z., czyli Słowik, który zaczął odgrywać rolę jego najbliższego przyjaciela. Jak wiesz z naszych poprzednich rozmów, Andrzej K. uwierzył w szczerość intencji Słowika, co zresztą źle się dla niego skończyło. Pod koniec marca 1999 roku doszło do spotkania Pershinga z Lutkiem i Mańkiem. Ja też byłem obecny, bo dysponowałem naprawdę mocną ekipą, a mieliśmy rozmawiać o dużych interesach. Ustaliliśmy, że ostro wchodzimy w papierosowy trójkąt bermudzki, czyli w Toruń, Włocławek i Bydgoszcz. Wspominałem już o tym w tomie *Masa o pieniądzach polskiej mafii*. Szczegóły spotkania, które zresztą odbyło się w restauracji Gama dokładnie trzy dni przed jatką, znał również Słowik. Pershing opowiedział mu o wszystkim. A skoro wiedział Słowik, wiedzieli również starzy. I podejrzewam, że bardzo ich wkurwiła nasza ekspansja, ramię w ramię z wołomińskimi. Prawdopodobnie uznali, że działalność wołomińskich zagraża ich interesom, i postanowili rozwiązać problem w sposób radykalny. Wiedzieli, że Karola S. nie trzeba jakoś specjalnie motywować do odpalenia Mańka i Lutka, więc postawili na niego.

A.G.: Jak mogli postawić na człowieka, który nie był częścią pruszkowskiej struktury? Oficjalnie bliżej mu było do Wołomina. Nawet jeśli pozostawał w konflikcie z jego szefami.

J.S.: W tamtym czasie Karol S. nie czuł się już związany z Wołominem i intensywnie rozbudowywał swoją własną grupę. Mógł grać, z kim chciał i z kim mu było po drodze. A przeciwko Marianowi K. i Ludwikowi A. po drodze było mu ze starymi. W całej tej intrydze zorientowałem się niedługo po egzekucji, podczas jednej ze styp po śmierci wołomińskich watażków. Bankiet odbywał się w lokalu Zielony Lew, w podwarszawskim Ursusie. To było bardzo popularne miejsce spotkań miasta, gdzie często dochodziło do rozkminek i porachunków. Na spotkaniu obecny byłem ja, Karol S. oraz cała pruszkowska śmietanka. Ja Karola znałem od dawna, ale byłem pewien, że starzy nie wiedzą, kto to jest. Gadka szmatka, a w pewnym momencie mówię: „Słuchaj, Karol, trochę się pozmieniało, Maniek i Lutek nie żyją, więc może przeszedłbyś ze swoimi chłopakami do nas?". A on się tylko głupio uśmiechnął i coś tam odburknął. Najwyraźniej nie miał ochoty na kontynuowanie wątku. Zacząłem rozmawiać z kimś innym, ale kątem oka obserwowałem Karola. Przysiadł się do Malizny i Słowika. Widać było, że mają jakiś ważny wspólny temat. Jednym uchem usłyszałem: „Mówiliśmy ci, że jak to się stanie, to się otworzą zupełnie nowe możliwości…", czy coś w tym stylu. Mam stuprocentową pewność, że rozmawiali o śmierci wołomińskich. Dla mnie to był szok – niby starzy nie znają Karola S., a biesiadują z nim jak z dobrym funflem! Zerwałem się od stołu, podszedłem do starych i pytam: „Co jest, kurwa, grane? Podobno się nie znacie?". Karol spalił cegłę, starzy spuścili wzrok. Zupełnie jakbym przyłapał ich na trzepaniu konia w miejscu publicznym. Olśniło mnie w ciągu sekundy – ktoś Karola informował o planach Mańka i Lutka. O tym, gdzie są i dokąd się przemieszczają. Przecież sam nie wymyśliłby sobie, że akurat 31 marca będą o określonej godzinie w Gamie. Z fusów by tego nie wywróżył. A Słowik miał dostęp do takich wiadomości. Potem wielokrotnie rozmawiałem z Karolem na ten temat. Wprawdzie nigdy nie potwierdził mojej wersji, ale przyznał, że dostał wrogów na talerzu. Wystarczyło pociągnąć za spust. Potem zginęło jeszcze kilku bliskich współpracowników Mańka i Lutka. W ten sposób ich struktura została zniszczona ostatecznie.

W lipcu 1999 roku antyterroryści wywlekli Karola S. z kryjówki. Wraz z nim zatrzymano czterech gangsterów z jego grupy. Aresztowania uniknął wówczas jedynie Andrzej T. „Tyburek", który uciekł w Polskę i kontynuował przestępczą działalność. To jego policja podejrzewała o zastrzelenie syna Mariana K., Jacka, znanego w mieście jako Młody Klepak. Chłopak stracił życie w sierpniu 2002 roku, podczas imprezy w restauracji Okoń w Mikołajkach. W trakcie pościgu za mordercami zginął wtedy policjant Marek Cekała. Tyburek został zatrzymany w 2009 roku, ale zabrakło dowodów, żeby go oskarżyć. Lista prokuratorskich podejrzeń wobec niego była, nawiasem mówiąc, o wiele dłuższa, ale to już temat na inną opowieść.

W 2013 roku sąd podtrzymał wyrok dożywotniego więzienia dla Karola S., tym samym obarczając go odpowiedzialnością za morderstwa popełnione jeszcze przed egzekucją w Gamie.

Jego ludzie też dostali bardzo wysokie wyroki. Wprawdzie sprawiedliwości stało się zadość, ale kulisy wydarzeń z 31 marca 1999 roku cały czas czekają na ujawnienie. Może trop, który podpowiada Masa, powinien zostać ponownie przeanalizowany przez organy ścigania?

ROZDZIAŁ 22

Dwa kopczyki w lesie

Historia wspomnianego gangu Jacka K., czyli Młodego Klepaka, to temat na osobną, burzliwą i krwawą, opowieść. Jednak ponieważ grupa ta powstała przed 2000 rokiem, a więc przed zaprzysiężeniem Masy na świadka koronnego, jej działalność doskonale pasuje, przynajmniej chronologicznie, do niniejszego tomu.

Na początku naszej współpracy Jarosław Sokołowski, wówczas felietonista magazynu „Śledczy", pomagał mi jako konsultant uwiarygodniający relacje jednego z osadzonych członków tej struktury.

Planowano, że Janusz Cz., bo o nim mowa, odegra taką samą rolę w rozbijaniu młodego Wołomina jak jego odpowiednik w Pruszkowie kilka lat wcześniej. Jednak pokładane w nim nadzieje spełzły praktycznie na niczym – Cz. nie zamierzał współpracować ani z policją, ani z prokuraturą, zatem zdjęto mu z głowy „koronę", a on sam trafił z wyrokiem dożywotniego więzienia za kratki. Sąd skazał go za brutalne podwójne morderstwo popełnione w sierpniu 2000 roku.

Odezwał się do mnie z więzienia, zatem spotykałem się z nim wielokrotnie. Zapewniał, że nie ma nic wspólnego z przypisywaną mu mafijną egzekucją (o której za chwilę), a wyrok jest zemstą organów ścigania i wymiaru sprawiedliwości za sprzeniewierzenie się misji świadka koronnego. Poza tym ktoś musiał odpowiedzieć za zabójstwo, więc padło na niego, bo tak było najprościej. Historia przestępcy stała się kanwą mojej książki pt. *Gang*. Nie podważam w niej wyznań głównego bohatera, nie oceniam pracy śledczych, prokuratorów i sędziów. Po prostu przedstawiam rozmaite punkty widzenia i dokumenty.

W tak wyjątkowo skomplikowanej sprawie inne podejście do tematu byłoby po prostu śmieszne.

Oto ona, w największym skrócie.

* * *

Grzybiarka, który wybrała się wczesnym rankiem do lasu, przeżyła szok. Zanim do jej koszyka trafił pierwszy maślak, kobieta natknęła się na świeżo usypany kopczyk. Nieco dalej dostrzegła krew na liściach. Złe przeczucia co do tego, co skrywa ziemia, kazały Mariannie S. zawiadomić policję. Tym bardziej że zagajnik w podwarszawskiej Wólce Radzymińskiej od dawna cieszył się ponurą sławą miejsca gangsterskich porachunków i można się było spodziewać, że oto jedna z konfrontacji zakończyła się tragicznie.

Przybyła na miejsce ekipa dochodzeniowa szybko natrafiła na jeszcze jeden pagórek ze świeżej ziemi. Wkrótce w policyjnym protokole znalazła się informacja z oględzin: „Zwłoki kobiety leżą ułożone w pozycji na wznak w wykopie ziemnym na głębokości jednego metra. Głowa w kierunku południowym. Twarz zwrócona nieco w kierunku prawego barku. (...) Zwłoki są całkowicie obnażone, pokryte od przodu białą sypką substancją o wyglądzie wapna".

Podobnie wypadły oględziny zwłok mężczyzny, odnalezionych w drugim kopczyku.

Ofiarami byli: dwudziestotrzyletnia Ilona P. i jej trzydziestoczteroletni partner Andrzej S., pochodzący z Iławy mieszkańcy stolicy. Jak się okazało w wyniku żmudnego śledztwa, związani z gangiem wchodzącym w skład przestępczej struktury Jacka K.

Przez długi czas policjanci nie byli w stanie przypisać tej zbrodni żadnemu sprawcy. Mnożyły się rozmaite hipotezy, ale tajemnica pozostawała nierozwiązana.

Aż wreszcie po kilku latach prokuratura postawiła zarzut „(...) Januszowi Cz., podejrzanemu o to, że w nocy z 23 na 24 sierpnia 2000 r. w miejscowości Wólka Radzymińska, działając wspólnie i w porozumieniu z innymi osobami, dokonał zabójstwa przy użyciu broni palnej w postaci pistoletu kal. 6,35 mm wz. Browning Ilony P. poprzez oddanie dwóch strzałów w głowę pokrzywdzonej, powodując w ten sposób obrażenia w postaci dwóch ran postrzałowych (...) skutkujących zgonem w/wym.".

O śmierci Andrzeja S. wiadomo mniej; nie ma nawet pewności, czy zginął w tym samym lesie i o tej samej porze, co jego dziewczyna. Sąd uznał jednak, że skoro zastrzelono go z tej samej broni, zrobił to ten sam zabójca. I to okazało się najważniejsze.

Proces Janusza Cz. odsłonił kulisy działalności grupy, w której mężczyzna był jednym z liderów. Pokazał również, jak łatwo

– z porządnego obywatela, producenta obuwia – stać się oskarżonym o najcięższe przestępstwo.

Do gangu Cz. trafił wkrótce po tym, gdy ktoś z otoczenia Jacka K. zaproponował mu produkcję określonego typu obuwia. Było ono bardzo chodliwe, więc można było zarobić sporo pieniędzy. Interes wprawdzie nie wypalił, ale szewc zyskał nowych znajomych. To dla grupy młodego Klepaka zrezygnował z interesu (przejętego przez ojca), a zajął się wyłudzaniem pożyczek i kredytów. Był w tym mistrzem; na jego mistyfikacje nabierały się różne banki. Działał metodą „na słupa", czyli zdobywał kasę dzięki podstawionym ludziom, którym organizował nowe tożsamości. Czasem do złożenia wniosku o pożyczkę wystarczał lewy dowód osobisty. Procedura pozyskiwania dokumentu nie była skomplikowana – członek grupy jechał do prowincjonalnego miasteczka, gdzie wyszukiwał osobę z dużymi problemami finansowymi i jeszcze większymi alkoholowymi i proponował układ: pożyczasz dowód, a w zamian dostajesz stówkę. I na dodatek kilka piw.

Choć rzecz brzmi niewiarygodnie, metoda działała. Chociaż zdarzało się – przy większych transakcjach, na przykład z firmą leasingową – że słupy trzeba było dodatkowo podrasować. Aby przynajmniej przypominały biznesmenów... W aktach sprawy zachowało się zeznanie, jakoby Cz. zakupił podstawianemu sztuczne zęby na bazarze. Trików jak żywcem wyjętych z taniej komedii, mających podnieść zewnętrzne walory „kontrahentów", było o wiele więcej. I były skuteczne.

Jeden z takich słupów, Andrzej S., na tle innych wyróżniał się ambicją. Po pierwsze, marzyła mu się znacząca rola w grupie Młodego Klepaka, a po drugie – wielkie pieniądze. Nie należał do potulnych owieczek; zdarzało mu się brać udział w brutalnych pobiciach, a raz nawet miał sprawę za skatowanie człowieka w restauracji. Wiadomo było, że wzajemne relacje Cz. i S. nie układały się najlepiej. Perspektywa konfliktu stawała się coraz bardziej oczywista.

Janusz Cz. w rozmowie ze mną kilkakrotnie zapewniał, że prawie nie znał ani S., ani jego partnerki Ilony P. Wiedział, że kręcą się przy grupie, ale nie utrzymywał z nimi kontaktów. Ustalenia prokuratury są jednak inne. Najważniejsze – Andrzej S. wziął z banku pieniądze (nie jest pewne, w jakiej wysokości), ale nie rozliczył się ze zleceniodawcą. Mówiąc krótko: zagarnął własność gangu. Takiej nielojalności nie można było puścić płazem, zatem szefostwo postanowiło ukarać S. oraz jego dziewczynę przykładnie, czyli na oczach pozostałych członków grupy. Wprawdzie w ten sposób wzrastała liczba świadków, za to otrzymywali oni jasny przekaz – kto oszukuje, tego miejsce jest pod ziemią.

Do Wólki Radzymińskiej zajechała kawalkada samochodów; zamykała ją alfa romeo, w której znajdowali się Cz. i Ilona P. Tak przynajmniej twierdził Andrzej P., członek struktury, kryminalista po wielu odsiadkach, którego zeznania pogrążyły Janusza Cz. Kiedy auta dotarły na miejsce, Ilona P. zrozumiała, jaki jest cel tej przejażdżki. „Za co?", pytała roztrzęsionym głosem. „Zostawcie mnie!", błagała.

Na miejsce kaźni, czyli w głąb lasu, doprowadziło ją trzech mężczyzn, a Janusz Cz. wykonał wyrok. Tak przynajmniej twierdził Andrzej P., który zeznał jednocześnie, że podczas egzekucji stał przy samochodzie, nerwowo paląc papierosa. Czyli w zabójstwie nie uczestniczył.

Fot. Marek Zieliński/East News

Jego wersję potwierdziły inne związane z grupą osoby.

Przestępczą działalność Janusza Cz. zakończył wyrok dożywotniego więzienia, choć jeszcze kilka lat wcześniej nic nie zapowiadało takiego finału. Cz. zyskał bowiem status świadka koronnego po spartoleniu napadu na VIII oddział banku PBK w Warszawie przy ulicy Jasnej w czerwcu 2001 roku. Wpadł podczas akcji, ale nie zrobiło to na nim specjalnego wrażenia. Pojawiła się hipoteza, że pozwolił się zatrzymać celowo, aby pójść na współpracę z organami ścigania.

Być może miał już dość członkostwa w grupie niezwykle brutalnego i bezwzględnego przestępcy, jakim był Jacek K. Zresztą cały tzw. młody Wołomin stanowił wyjątkowo ostrą strukturę, niecofającą się przed okrucieństwem.

Janusz Cz., wywodzący się z dobrego domu, inteligentny i dobrze ułożony (jakkolwiek to brzmi), mógł mieć powyżej uszu współpracy z Młodym Klepakiem. W aktach sprawy zachowały się stenogramy ich rozmów, w których Jacek K. jawi się jako boss apodyktyczny i łatwo wpadający w skrajny gniew.

Jednak mimo że Cz. został świadkiem koronnym, z wiedzą na temat planowanych czynności operacyjnych wobec dawnych kompanów, nie zawahał się, aby ich ostrzec. Dzięki jego cynkowi szefowie grupy uniknęli wpadki podczas policyjnego wjazdu. Wcześniej gangster udostępnił mediom taśmę wideo, na której odwołał wszystko, co zeznał na policji w kwestii wołomińskich. I po dziś dzień nie przestaje podkreślać, że „koronę" wymuszono na nim szantażem.

Jakkolwiek było, z pewnością nie czuł się komfortowo w tej sytuacji.

Utrzymuje także, że jego wiedza na temat planowanych czynności policyjno-prokuratorskich była po prostu żadna. To akurat wydaje się dość wiarygodne, bo Zarząd Ochrony Świadka Koronnego CBŚ nie zwierza się raczej skruszonym przestępcom ze swoich planów. Inna rzecz, że nawet zapowiedź bliżej niesprecyzowanych działań operacyjnych mogła nasunąć gangsterowi pewne przypuszczenia.

Z kolei policjanci w rozmowach z mediami twierdzą, że przeczuwali, iż z Cz. będą same kłopoty. Jego wola współpracy od samego początku wydawała się dyskusyjna.

A kiedy ostrzegł kompanów, miarka się przebrała. Policja zaczęła drążyć w przeszłości świadka. Zeznania wspomnianego Andrzeja P. wydały się funkcjonariuszom wystarczająco wiarygodne, żeby na ich podstawie zbudować oskarżenie. A jak wiadomo, osoba podejrzana o zabójstwo nie może nosić „korony".

Kilka lat po osadzeniu Janusza Cz. w warszawskim więzieniu przy Rakowieckiej (na oddziale dla więźniów niebezpiecznych) rozmawiałem z jednym z prawników, którzy brali udział w procesie gangstera. Przedstawiłem mu wątpliwości, które dopadły mnie po spotkaniach z więźniem. Wypunktowałem rozmaite nieścisłości i pomyłki świadków.

– Proszę pana, gdyby Klepak chciał ukarać śmiercią nieuczciwych współpracowników, na pewno poszukałby lepszego kilera niż były producent obuwia – argumentowałem.

– Panie redaktorze – odparł bez namysłu prawnik. – Gdyby uczestniczył pan w tamtym procesie i widział twarze, tak oskarżanych, jak i świadczących (zarzut zabójstwa postawiono wówczas również Dariuszowi R. – przyp. A.G.), nie miałby pan wątpliwości, kto zabił. Być może dziś Cz. ma oblicze niewiniątka, pokrzywdzonego intelektualisty, ale trzeba pamiętać, że przeszedł operację plastyczną. W poprzednim wcieleniu wyglądał o wiele groźniej.

Tylko czy chirurgiczny skalpel potrafi zmienić ludzką naturę?

ROZDZIAŁ 23

Koniec zaczął się w Spartakusie

Stołecznych jaskiń rozpusty, czyli klubów go-go, które upatrzyli sobie pruszkowscy gangsterzy, było całkiem sporo, ale Spartakus – obok Sofii – należał do ulubionych. Lokal znajdował się niemal w samym centrum stolicy, bo przy prowadzącej na lotnisko ulicy Żwirki i Wigury, tyle że ukryty wśród drzew na Polu Mokotowskim. Zapewniał odwiedzającym dyskrecję. Oczywiście, chłopcom z miasta specjalnie na niej nie zależało, ale dla wielu była to okoliczność sprzyjająca.

Jako że właściciel Spartakusa był dobrym znajomym Masy, ten ostatni (oraz jego kompani) czuł się w klubie jak w domu. A nawet lepiej, bo inaczej niż we własnych czterech kątach mógł wybierać spośród kilkudziesięciu pięknych dziewczyn, znakomicie tańczących i zapewniających miły relaks klientom.

Szefostwo przybytku miało dość liberalne poglądy w kwestiach obyczajowych. Podczas gdy w innych klubach go-go uprawianie seksu było oficjalnie zakazane (co sprowadzało się do opłat za tę przyjemność, osiągniętą gdzieś na boku, nawet w wysokości pięciuset dolarów), tutaj były dostępne pokoje „bliskich spotkań". No, może nie dla wszystkich, ale dla tak zwanych przyjaciół królika na pewno. Tajemnicą poliszynela było również, że w klubie regularnie dochodzi do rozmaitych gangsterskich rozkminek i negocjacji. Był to po prostu lokal miasta.

Dlatego, od początku jego istnienia, grupa pruszkowska ciągnęła zyski ze Spartakusa w formie obowiązkowych haraczy.

Początkowo klub kontrolował Pershing i jego grupa, ale po aresztowaniu w 1994 roku miejsce Andrzeja K. zajęli Masa, Marek Cz. „Rympałek" i starzy. Wtedy między Pershingiem a pruszkowskim zarządem nie trwał jeszcze otwarty konflikt (co najwyżej drobne animozje, ale te łatwo dawały się blatować), więc takie przejęcie było normalką. Przynajmniej dla starych.

Kiedy Rympałek trafił za kratki, odpowiedzialność za haraczowanie Spartakusa spadła na Masę.

Ale po czterech latach, gdy Pershing wyszedł na wolność, postanowił odzyskać swoją „własność".

Modny klub go-go wypadł z biznesowej orbity starych, ponieważ Jarosław Sokołowski i Andrzej K. nawiązali współpracę. Despekt był spory, bo nie chodziło wyłącznie o pieniądze, ale także o prestiż. Zachowując wszelkie proporcje, można porównać tę stratę do utraty przez słynnego gangstera z czasów prohibicji Owneya „Killera" Maddena wpływów z kultowego nowojorskiego Cotton Clubu. Wprawdzie w Spartakusie nikt nigdy nie widział jazzowego koncertu (z których słynął jego amerykański odpowiednik), ale kto powiedział, że grupa pruszkowska ma ślepo naśladować pierwowzory?

Starzy kręcili nosem, ale na razie nie robili awantury, obserwując, czy Pershing podejmie z nimi współpracę, czy raczej wybierze niezależną drogę zarabiania pieniędzy. Cóż, Andrzej K. skłaniał się ku daleko posuniętej autonomii. Poza tym, wyraźnie dawał starym do zrozumienia, że choć ich toleruje, to jednak ulepieni są z innej gliny niż on. Z gorszej gliny...

Im więcej zarabiał, tym większą darzyli go niechęcią. A miał głowę do interesu – tłukł kasę i na wyłudzaniu podatku VAT i na ustawionych walkach bokserskich. Sojusz z Masą bardzo mu pomagał w gromadzeniu fortuny.

J.S.: Malizna, który akurat wysforował się na lidera zarządu, zaczął szumieć. Jego ludzie robili najazdy na Spartakusa. Doszło nawet do tego, że napadli na Doriana, kierowcę i przybocznego Pershinga. Problem w tym, że na miejscu incydentu szybko pojawili się moi ludzie i skuli mordy Maliznowym gorylom. Stanęło na ostrzu noża. Wkrótce samochód Doriana wyleciał w powietrze; na szczęście on sam nie ucierpiał. W końcu jednak starzy uderzyli w głównego „winowajcę", czyli w Pershinga. Został zabity piątego grudnia.

A.G.: Co dalej ze Spartakusem?

J.S.: Oczywiście wzięli go w swoje łapy starzy. A ja uciekłem na Śląsk, bo mi się grunt zaczął palić pod nogami. Z jednej strony moi wrogowie, związani ze starymi, z drugiej zaś zeznania Andrzeja R. „Rudego", handlarza z Elektrolandu, że wymuszam od niego haracze. Był to totalny absurd, ale dla policji świetny pretekst, żeby mnie ścigać.

A.G.: A na czym polegał twój układ z Rudym? Ilekroć w mediach czy książkach pojawia się wątek twoich rozliczeń z Andrzejem R., wychodzisz na brutalnego windykatora, który dręczył znajomego.

J.S.: To totalny absurd! Nigdy nie haraczowałem Rudego. On był kimś w rodzaju mojego wspólnika i naprawdę miał ze mną dobrze. Handlował częściami samochodowymi w Elektrolandzie, w Jankach pod Warszawą, a ja mu ten jego sklep, można powiedzieć, zatowarowałem. Dostał ode mnie sto koła papieru i nakupił za to masę naprawdę fajnych rzeczy, od felg po systemy audio. Zresztą sam byłem jego klientem; do mojej nowej S-klasy nabrałem rozmaitego sprzętu, głównie grającego, za siedemnaście koła papieru. On mi odpalał z utargu dziesięć procent miesięcznie, czyli naprawdę niewiele. Ale liczyłem, że nasza współpraca przyniesie owoce w innej sferze. Otóż zamierzaliśmy postawić pierwszą w Polsce stację Arala, więc przekazałem mu na ten cel dwieście tysięcy dolarów. Nic z tego nie wyszło, bo wydarzenia nabrały tempa...

A.G.: Skoro byłeś dla niego taki dobry, to czemu złożył na policji zeznanie przeciwko tobie?

J.S.: Bo został do tego zmuszony.

A.G.: Przez kogo?

J.S.: Przez starych, bo jakże by inaczej? Był na tyle rozmiękczony, że zgodził się na taką manipulację. Tyle że zanim zaczęli go urabiać starzy, a ściśle rzecz ujmując: starzy rękami Bryndziaków, Rudy sam sobie trochę zaszkodził. Otóż poczuł się na tyle mocno, że zaczął kozaczyć. W jakiejś sprawie oszukał pewnego faceta, chociaż tamten był przyjacielem mokotowskich. Rudy uważał, że skoro trzyma ze mną sztamę, to jest bezkarny. Wtedy

Fot. Wojtek Rzazewski/ Super Express/East News

odwiedziło go kilku gangsterów z Mokotowa i obiło mu buzię. Biedak zrozumiał, że świat jest bardziej skomplikowany, niż sądził. Dowiedzieli się o tym starzy i uznali, że Rudego trzeba docisnąć. Przyjechały do niego Bryndziaki i znowu był wpierdol. Rudy zaczął się bać, a o to chodziło starym. Sterroryzowany Andrzej R. usłyszał, że musi pójść na policję i złożyć na mnie doniesienie.

A.G.: Ale do zatrzymania nie doszło?

J.S.: W każdym razie nie od razu. Swoimi kanałami dowiedziałem się, że policja planuje zatrzymanie mnie, więc dałem nogę na Śląsk. Tego samego dnia, a był to 8 grudnia 1999 roku, trzy dni po śmierci Pershinga, policja wkroczyła do mojego domu, ale mnie w nim nie znalazła. Nie chciałem trafić do puszki, bo zamierzałem podjąć walkę ze starymi. Poza tym miałem wiele do stracenia.

Tymczasem na Śląsku dotarła do mnie wiadomość, że moi ochroniarze z Planety chcą definitywnie załatwić problem starych. Przypominam, że tymi ochroniarzami byli, oczywiście po godzinach, policjanci z wydziału do walki z przestępczością zorganizowaną, na czele ze wspomnianym wcześniej Pancernikiem.

A.G.: Pojęcie „definitywnie załatwić" kojarzy mi się dość ponuro. Rozumiem, że chodziło o doprowadzenie do aresztowania zarządu grupy pruszkowskiej?

J.S.: Źle rozumiesz. Propozycja była jasna i klarowna: po pięćdziesiąt koła papieru za łeb. Czyli trzysta tysięcy zielonych i cała szóstka starych do piachu. Ofertę złożył mi Paweł P., przyjaciel Pancernika. Ja też nie mogłem w to uwierzyć. Popatrzyłem na P. i pytam: „Czy wyście się, kurwa, Bonda naoglądali? Za krótcy jesteście na starych". Ale P. tylko się uśmiechnął i mówi: „Wiesz, chłopaki oglądały różne filmy, na Bondzie świat się nie kończy. Pozwól, że uwiarygodnią swoją propozycję". Nie miałem pojęcia, w co on gra, ale się zgodziłem. Kilka dni później oglądam wiadomości i słyszę: „Zamach bombowy na warszawski klub go-go Spartakus. Jest jedna ofiara śmiertelna, pracownik lokalu". Zdrętwiałem. Oni wcale nie żartowali! Czy ty to rozumiesz? Policjanci przeprowadzili zamach!

A.G.: To niewiarygodne!

J.S.: Ale prawdziwe. Wszystko jest w moich zeznaniach, prokuratura to potwierdziła. A panowie już dawno pożegnali się z zawodem policjanta. Dostali wilczy bilet na życie.

A.G.: Jarek, czemu najlepszą historię zostawiłeś na sam koniec?

J.S.: Ja takich najlepszych opowieści mam w zanadrzu jeszcze bardzo wiele! Wszystko przed nami…

Gangsterska galeria według Masy

Andrzej Cz. „Kikir"

Zdecydowanie bohater nie z mojej bajki. Jeżeli gangster jest złym człowiekiem z definicji, nie wiem, jak określić Kikira. Zwyrodnialec? Kiedyś, wraz z S., dokonał napadu rabunkowego na dom starszego małżeństwa pod Warszawą. Gdy staruszkowie postawili się, nie zamierzając wyjawić, gdzie trzymają kosztowności, Kikir i jego kompan zaczęli ich przypalać i polewać kwasem solnym. Oczywiście wyciągnęli interesującą ich informację… Za to kiedy my wywieźliśmy go do lasu (za współpracę z Dziadem), spieprzał jak oparzony, bo wiedział doskonale, że z Pruszkowem nie ma żartów. Razem z nim zawinęliśmy wtedy Andrzeja P. „Salaputa", ale temu nie udało się uciec; dostał łomot i za siebie, i za kumpla. Kikir już nie żyje – zginął w gangsterskich porachunkach, nawiasem mówiąc, z rąk dawnych podwładnych.

Andrzej G. „Junior"

Na początku lat 90. wspólnik Piotra K. „Bandziorka". Przez pewien czas rządzili razem w Śródmieściu (zanim dzielnicę przejął Pruszków), później Junior rozpoczął karierę solisty utrzymującego dobre stosunki z mafią. W połowie lat 90. sprzymierzył się z Jeremiaszem B. „Baraniną”, zostając reprezentantem jego interesów w kraju. Z czasem jednak coraz bardziej dokuczał i pruszkowskim, i wołomińskim, co skończyło się dla niego tragicznie. Został zastrzelony w przejściu podziemnym przy hotelu Marriott w Warszawie.

Andrzej H. „Korek”

Szef gangu mokotowskiego, wywodzący się ze starej gwardii przestępczej. Choć teoretycznie stanowił konkurencję, grupa pruszkowska utrzymywała z nim poprawne relacje. Pruszków i Mokotów przeważnie nie wchodziły sobie w drogę. Jeśli można o kimś powiedzieć „gangster z klasą”, Korek zdecydowanie zasłużył na to miano. Oczywiście, nie był święty, skrzywdzić też potrafił. W 2012 roku Trybunał w Strasburgu nakazał państwu polskiemu zapłacenie Korkowi odszkodowania w wysokości 5 tysięcy euro – za „naruszenie prawa H. do godnego traktowania” za kratkami.

Andrzej K. „Pershing”

Jeden z najważniejszych bossów Pruszkowa, choć nigdy nie wszedł w skład tak zwanego zarządu. Stworzył strukturę konkurencyjną wobec starych pruszkowskich. Intelektualnie przerastał ich o głowę i najprawdopodobniej dlatego tę głowę stracił.

Andrzej T. „Tychol”

Pochodzi z dość zamożnej rodziny prywatnych przedsiębiorców (prywatnych w czasach PRL-u). Od początku zawodowej kariery blisko związany z Wojciechem P. Kochał piękne kobiety, nie gardził partnerkami kolegów.

Andrzej Z. „Słowik"

Inteligentny – umiał wkręcić się na pruszkowski szczyt, choć jego przeszłość drobnego złodziejaszka wcale tego nie uzasadniała.

Artur B.

Początkowo niezły bokser, powiązany z grupą Barabasa. Podobnie jak Hemla i Cruyff miał na koncie epizod hamburski. W latach 90. „latał" z Pruszkowem, ale wszystko, co zarobił, przepijał. Alkohol stał się rychło przyczyną jego śmierci.

Bogdan D. „Dreks"

Duża klasa. Gangster z talentem biznesmena, wygadany, inteligentny, a nawet oczytany, tyle że oddający się głównie lekturze pozycji fachowych, czyli na temat mafii. Budził sympatię i szacunek miasta; na przykład taki Nikoś rozmawiał z nim jak równy z równym. W Poznaniu nikt mu nie podskakiwał, bo Dreks był mocny, a na układach z nim wychodziło się dobrze. Złe relacje po prostu się nie opłacały. W sumie szkoda, że człowiek z taką smykałką do biznesu postawił na przestępczość.

„Cruyff"

Karierę przestępczą zaczynał w latach 80. jako członek grupy Ireneusza P. „Barabasa". W Niemczech głównie okradał sklepy. Po powrocie do Polski kręcił się przy Pruszkowie, ale szybko został wyproszony ze struktur, bo wielokrotnie wykazywał się nielojalnością wobec grupy. Przeniósł się do Szczecina, gdzie zginął w wypadku samochodowym.

Czesław K. „Ceber"

Chłop jak dąb, niestety, o umyśle nieco mniejszych rozmiarów. Silny, ale prymitywny. Początkowo kolegował się z nami, lecz z biegiem czasu coraz bardziej podobało mu się u Dziada. Pewnie marzyły mu się mafijne szczyty, choć – bądźmy szczerzy – nie były mu pisane. Tak naprawdę, gdyby nie porwanie syna oraz śmierć w zamachu bombowym w 1995 roku, postać Cebra nie przebiłaby się do mediów.

Dariusz B. „Bysio"

Moja prawa ręka, człowiek do wszystkiego – i zarabiania pieniędzy, i podawania mi drinków. Oddany mi jak mało kto. W czasie alkoholowej imprezy chciał uciąć sobie dla mnie palec. Na szczęście moja żona pokrzyżowała jego autodestrukcyjne plany.

Dariusz W.

Biznesmen powiązany z Wojciechem P., prowadzący liczne interesy w USA. To on pomógł grupie pruszkowskiej nawiązać kontakt z kolumbijskimi kartelami. Oficjalnie udziałowiec Telekomunikacji Polskiej SA, sprowadzał do Polski ze Stanów Zjednoczonych centrale do obsługi numerów siedmiocyfrowych.

Henryk N. „Dziad"

Dowódca grupy z Ząbek, przez media uważany za szefa mafii wołomińskiej. Wielu dziennikarzy uwierzyło, że był niewinnym starszym panem zakochanym w gołębiach. Prawda wyglądała zupełnie inaczej: był to zwykły wozak, który świetnie przyswoił sobie miejskie cwaniactwo i stał się bandytą.

Ireneusz J. „Gruby Irek"

Jedna z najważniejszych postaci grupy łódzkiej. Pruszkowscy lubili go i akceptowali jako szefa podziemia kryminalnego miasta włókniarek (pomogliśmy mu nawet w starciu z ludźmi Nikosia). Gruby Irek był obdarzony takim ciosem, że pewnie wygrałby w starciu z niedźwiedziem. Poza tym miał wszelkie cechy przywódcze, dzięki którym trzymał swoją strukturę za mordę. Typowy samiec alfa, który nie znosił sprzeciwu, a choćby i drobnego powątpiewania w słuszność własnych decyzji. Jego ludzie po prostu bali się go i z tego strachu zorganizowali zamach. Udany. Irek nie porządził długo.

Jacek D. „Dreszcz"

Stary recydywista. Miał kłopot z dostosowaniem się do nowych czasów, w których nie można było bezkarnie wydłubywać ludziom oczu i skręcać karków. Wielki autorytet w stołecznym półświatku kryminalnym przełomu lat 80. i 90. Zginął z rąk własnego syna, Cezarego (który też zginął z rąk gangsterów).

Janusz P. „Parasol"

Jeden z liderów Pruszkowa, wywodzący się z PRL-owskiej recydywy. Prymityw, troglodyta i sadysta, którego kobiety omijały szerokim łukiem. Mój zapiekły wróg.

Jeremiasz B. „Baranina"

Taki sam peerelowski urka jak pruszkowscy starzy, tyle że z Galicji. Być może to krakowski sznyt sprawił, że media dostrzegły w nim kulturalnego, wytwornego gangstera, którym wcale nie był. Ani specjalnie obyty, ani przesadnie wszechmocny, jako boss wykreował się na kogoś w rodzaju Jamesa Bonda kryminalnego podziemia, rozdającego karty w mafii i niezbędnego dla służb specjalnych. No i oczywiście na uwodziciela pięknych młodych kobiet, w czym pomógł mu osobliwy związek z Haliną G. „Inką". Tak naprawdę w czasach rozkwitu Pruszkowa siedział cicho, a później wyjechał do Wiednia, gdzie zaczął kręcić lody na większą skalę. Szczytem jego możliwości okazało się odpalenie ministra sportu Jacka Dębskiego; nie dowiemy się raczej, na czym polegał konflikt między nimi. Ale jak nie wiadomo, o co chodzi…

Jerzy W. „Żaba"

Twardy „na mieście", potulny (przeważnie, choć z wyjątkami) pantoflarz w domu. Przez lata zaopatrywał kraj w narkotyki.

Karol S.

Człowiek, który posłał w zaświaty Mariana K., Ludwika A. i trzech ich żołnierzy. Przez dłuższy czas należał do grupy wołomińskiej, ale podobało mu się to z każdym dniem mniej. Uważał, że Maniek i Lutek żerują na jego ciężkiej pracy, i nie zamierzał oddawać im działki, jakiej oczekiwali. Był charakternym facetem, dla którego czarne było czarne, a białe – białe. Gdy uznał, że biały jest on, a jego szefowie stoją po ciemnej stronie mocy, zaczął planować zamach. W ten sposób przeszedł do historii jako autor najsłynniejszej egzekucji w dziejach polskiej mafii.

Krzysztof K. „Nastek"

Bandzior od najmłodszych lat, wychowany na warszawskiej Woli, a konkretnie na patologicznym Gibalaku (okolice ulicy Gibalskiego, niedaleko Cmentarza Żydowskiego). Razem ze Sławomirem S. „Krakowiakiem" trzymał dla Pruszkowa Śródmieście. Na jego życie nastawało wielu, choć nie zawsze chodziło o porachunki na tle finansowym (czasami o kobiety). Do miejskiej legendy przeszedł zamach na Nastka, przeprowadzony pod jednym ze stołecznych salonów gier – gangster przeżył wówczas ostrzał z bliskiej odległości (kiler strzelał z zawilgoconej amunicji). Nie umknął jednak przeznaczeniu, wreszcie został zabity.

Leszek D. „Wańka", brat Malizny

Zupełnie niepodobny do brata, skłonny do rozwiązań pokojowych, choć nie przesadzajmy – święty na pewno nie był. Jeden z najinteligentniejszych starych, mafioso-dżentelmen. W latach 80. uzależnił tysiące Polaków od amfetaminy.

Ludwik A. „Lutek"

Drugi, obok Mariana K., szef Wołomina. Obaj mieli w grupie taką samą pozycję, byli równoprawnymi partnerami, tyle że Stary Klepak, z zadatkami na despotę i uzurpatora, lubił pokazywać, że to on rządzi. Kiedy w grę wchodziły rozwiązania nie siłowe, ale ekonomiczne, palmę pierwszeństwa przejmował Lutek, zdecydowanie bardziej inteligentny od Mańka i z szerszymi horyzontami (choć bez przesady). Wyzionął ducha, podobnie jak jego kompan, w Gamie.

Marcin B. „Bryndziak"

Szef jednej z bojówek Pruszkowa, przez dłuższy czas mój ochroniarz. Przez moment silnie związany z Rympałkiem. Człowiek, którego najlepiej było omijać z daleka. Mówili o nim, że gdy inni przestawali już bić, on się dopiero rozkręcał.

Marek Cz. „Rympałek"

Brutalny innowator, dokonał skoku tysiąclecia na konwój z pieniędzmi dla ZOZ. Autor wielu złodziejskich patentów. Bali się go nawet starzy.

Marek D. „Dorian"

Naprawdę nazywa się inaczej, ale z rozmaitych względów uznaliśmy, że w tej książce będzie figurował pod zmienioną tożsamością. Legenda półświatka warszawskiej Pragi, kierowca Andrzeja K. „Pershinga" i jego bliski współpracownik. Ciężko ranny w zamachu na swojego szefa – kilerzy pomylili obu mężczyzn.

Marek F. „Western"

Wystarczy spojrzeć na jego zdjęcie i wszystko robi się jasne: to jeden z tych, który udaje kogoś, kim nie jest. Ubrany w kowbojski kapelusz i skórzaną kamizelkę z frędzlami starał się upodabniać do bohaterów kowbojskich filmów, choć nie wiem, do czego było mu to potrzebne. Ostatecznie na Indian nie polował, bo o tych w Wielkopolsce raczej trudno… Pragnął uchodzić za mocnego i wpływowego bossa, ale moim zdaniem stanowił co najwyżej karykaturę szefa grupy przestępczej. Tacy jak on królują dziś w Internecie, wygrażając i pomstując na innych, robiąc z siebie twardzieli. Pod warunkiem że nie muszą ujawniać tożsamości.

Marek M. „Oczko"

Szef szczecińskiego podziemia kryminalnego. Początkowo rezydent Pruszkowa na Pomorzu Zachodnim, z czasem się usamodzielnił (oczywiście za zgodą dotychczasowych mocodawców). Pozostawał w szczególnie dobrych relacjach z Andrzejem Z. „Słowikiem" (podobnie jak tamten przybrał nazwisko żony). Prawdziwy charakterny twardziel. Gdy wielu pytało, skąd wziął się pseudonim, przeważnie padała odpowiedź: „Bo ma parchawe oko". Dlaczego? Tego nie wiedział nikt.

Marian K. „Maniek" vel „Stary Klepak"

Jeden z najważniejszych bossów polskiej mafii. Razem z Ludwikiem A. „Lutkiem" rządził grupą wołomińską. Obdarzony gangsterską charyzmą wywierał przemożny wpływ na otoczenie. Bywał porywczy, ale można się było z nim dogadać nawet w trudnych sprawach. Nie można tego powiedzieć o jego synu Jacku K., który przejął po nim schedę. Maniek hartował charakter – jak większość starych – w peerelowskich więzieniach. Należał do grypsujących, narażonych na szykany służby więziennej. Do legendy przeszła historia, jak to grypsujących więźniów pierwszego dnia odsiadki wrzucano kolejno do furgonetki, która powoli krążyła po dziedzińcu zakładu karnego; po kilku rundach z paki wypadał skatowany delikwent. Na taką przejażdżkę klawisze zaprosili także Mańka. Po kilku kółkach pojazd – czule zwany kurwowozem – zatrzymał się, a ze środka spokojnie wyszedł... osadzony. Przyszły boss grupy wołomińskiej był obdarzony wielką siłą, umiał się bić, więc poradził sobie z oprawcami. Podobno odwetu nie było. Mańka zastrzelono w warszawskiej restauracji Gama.

Mirosław D. „Malizna"

Charakter i styl bycia – patrz wyżej. Na pewnym etapie odbiło mu i zaczął się uważać za szefa grupy.

Nikodem S. „Nikoś"

Legenda gdańskiego półświatka kryminalnego. Skłócony ze starymi (a mój przyjaciel), poniósł śmierć w jednej z gdyńskich agencji towarzyskich. Megaloman, choć z klasą. Miał wielkie parcie na ekran, co zresztą zaowocowało jego występem w filmie *Sztos*.

Paweł M. „Małolat"

Jeden z wielu gangsterów o tym pseudonimie, lecz najbardziej znany. Kolejny wychowanek wolskiej patologii, człowiek niezwykle brutalny. Fama głosiła, że zasztyletował nad Wisłą dwóch ludzi, których ciała ukrył tak skutecznie, że nigdy nie zostały odnalezione. Początkowo „latał" z Jackiem D. „Dreszczem" i jego rodziną, a następnie u Pershinga – został kierowcą Andrzeja K. oraz jego prawą ręką. Ciągnęło go do biznesu i polityki; widziano go na słynnym pikniku SLD na strzelnicy w Rembertowie.

Piotr K. „Bandziorek"

Prawa ręka wołomińskich bossów: Mariana K. „Mańka" oraz Ludwika A. „Lutka". Niezwykle barwna postać w warszawskim półświatku. Należał do ekipy, która pod koniec lat 80. pacyfikowała stołeczne dyskoteki. Silny i chętny do bitki. Jego grupa ściągała haracze między innymi na Woli, Żoliborzu, a nawet na Pradze. Przez pewien czas ukrywał się w Niemczech.

Robert F. „Franek"

Opodatkował wszystkie lokale z automatami do gry w Polsce. Świetny menedżer. Zarabiał dla mnie wielkie pieniądze. Naprawdę bystry chłopak.

Roman Z. „Zachar"

Typowy pruszkowski bandzior, dobry wojownik, charakterniak. Zasłynął tym, że podczas pojedynku na pięści w Międzyzdrojach zabił ratownika. Nie zrobił tego celowo, co uwzględnił sąd, skazując Zachara jedynie na półtora roku więzienia. Przez wiele lat stał na dyskotekowych bramkach, obecnie wiedzie spokojne życie glazurnika.

Ryszard P. „Krzyś"

Najbliższy mi człowiek z zarządu Pruszkowa. Przez pewien czas się przyjaźniliśmy, ale szybko zrozumiałem, że zależy mu tylko na pieniądzach, które potrafiłem zarabiać. W rzeczywistości był równie wredny jak większość jego kompanów.

Ryszard S. „Kajtek"

Dusza człowiek, bardzo pomocny i współczujący. Jeśli z biegiem lat utracił swoje dobre cechy, to tylko dlatego, że zepsuli go kompani z Pruszkowa. Nie jego jednego, rzecz jasna. Przyjaźnił się ze wspólnikiem słynnego watażki z lat 50. Jerzego Paramonowa.

Sławomir S. „Krakowiak"

Wspólnik Nastka. Zajmował się równocześnie biznesem i gangsterką. Uważany przez niektórych za szefa gangu śródmiejskiego. Pogrążył go między innymi świadek koronny Piotr K., między innymi pseudonim Broda – ten sam, którego zeznania posłały za kraty policjanta Sławomira Opalę.

Stanisław M.

Biznesmen z Pomorza, luźno związany z grupą pruszkowską, ale nie gangster. W latach 90. człowiek niezwykle ustosunkowany w kręgach lokalnej władzy. Jego nazwisko otwierało przed nami wiele drzwi. W latach 90. właściciel luksusowego hotelu nad Bałtykiem, a także wspaniałej rezydencji przy berlińskim Ku'dammie oraz zamku w Badenii-Wirtembergii. Właściciel największego kasyna w Gdyni.

Wiesław N. „Wariat", brat Henryka

Niewykluczone, że to on był prawdziwym szefem grupy ząbkowskiej. Osobowość absolutnie zgodna z ksywką. Zginął tragicznie. Jak wielu.

Wojciech K. „Kiełbacha"

Mój przyjaciel z czasów powstawania grupy pruszkowskiej, potem związał się z jej wrogami. Został zastrzelony pod sklepem spożywczym w Pruszkowie, ale media pisały, że był to sklep mięsny. Żeby pasowało do Kiełbachy.

Wojciech P.

Warszawski biznesmen. Amator luksusu i pięknych kobiet, organizator wyborów Miss Polski. Nie był członkiem grupy pruszkowskiej, ale intensywnie się przy niej kręcił i sprawiał wrażenie człowieka doklepanego z „miastem".

Zbigniew Ł. „Hemla"

Jeden z gangsterów, którzy swoją karierę zaczynali na występach gościnnych w Hamburgu jako sklepowi złodzieje. Był w tym dobry, więc zgromadził wystarczające fundusze do otwarcia – już w Polsce – warsztatu tapicerskiego, który to interes działa po dziś dzień, a jego właściciel nie ma nic wspólnego z przestępczością. Choć „wypisał się" z grupy pruszkowskiej, pozostał lubiany przez jej członków.

Zbigniew M. „Carrington"

Jeden z tych, którzy dorobili się na przemycie. Przylgnęło do niego określenie „król spirytusu". Gdyby robił przestępczą karierę w Pruszkowie, nie zaszedłby tak daleko, ale na pograniczu polsko-niemieckim konkurencja była niewielka. Został bossem. Prowadził nieustającą krwawą wojnę z Jackiem B. „Lelkiem", miejscowym rywalem; Pruszków po cichu wspierał obu, czekając, który wykrwawi się szybciej. Silniejszy okazał się Lelek.

Zbigniew T. „Pastor"

Drugi po Oczku mocny człowiek Szczecina. Gdy dochodziło do nieporozumień pomiędzy Pruszkowem i Szczecinem, Pastor należał do tych, z którymi można było mediować (choć ze starymi nie chciał gadać). Kilka lat spędził w niemieckich więzieniach, w Polsce w 2012 roku dostał zaledwie 3,5 roku ograniczenia wolności. Sąd uznał, że Pastor się zmienił, i w chwili wydawania wyroku nie był już takim samym bandytą jak jeszcze kilkanaście lat wcześniej.

Zbigniew W. „Zbynek"

Bardzo malownicza postać wśród pruszkowskich. Brutal. Wychowany na bazarze, ale obdarzony pewną kulturą osobistą. Na szersze wody wypłynął, gdy ja już zdobyłem wysoką pozycję w przestępczej hierarchii. Zadbany (włosy obowiązkowo na żel), zawsze chętny do zabawy (wpuszczałem go do Planety jako jedynego gangstera z Pruszkowa), ze smykałką do biznesu; upodobał sobie zwłaszcza solaria i wypożyczalnie kaset wideo. W wolnych chwilach latał na dyskoteki z byłym karateką, niejakim Lewisem. Z lubością wszczynał tam burdy i masakrował przeciwników. Lubił broń palną i chętnie z niej korzystał. Niektórzy odczuli to na własnej skórze. Także ci poznani na dyskotekach…

Zygmunt R., ochrzczony przez media ksywką Bolo, a przez nas nazywany Zigim bądź Kabanem

Perfidny intrygant, przebiegły, a przy okazji maniak seksualny. Damsko-męskie zabawy najbardziej smakowały mu w czasie *Dziennika telewizyjnego*. Między 19.30 a 20.00 nie wolno było go niepokoić.

Spis treści